长河春秋

桐乡大运河史话

俞尚曦 著

图书在版编目(CIP)数据

长河春秋:桐乡大运河史话/俞尚曦著. —北京:中华书局,
2024.9
（桐乡大运河文丛）
ISBN 978-7-101-16623-1

Ⅰ.长…　Ⅱ.俞…　Ⅲ.大运河-文化研究-桐乡
Ⅳ.K928.42

中国国家版本馆 CIP 数据核字(2024)第 096842 号

书　　名	长河春秋:桐乡大运河史话
丛 书 名	桐乡大运河文丛
著　　者	俞尚曦
封面题签	徐　俊
责任编辑	吴麒麟
装帧设计	许丽娟
责任印制	管　斌
出版发行	中华书局
	（北京市丰台区太平桥西里 38 号　100073）
	http://www.zhbc.com.cn
	E-mail:zhbc@zhbc.com.cn
图文制版	北京禾风雅艺文化发展有限公司
印　　刷	天津艺嘉印刷科技有限公司
版　　次	2024 年 9 月第 1 版
	2024 年 9 月第 1 次印刷
规　　格	开本/710×1000 毫米　1/16
	印张 16½　字数 200 千字
国际书号	ISBN 978-7-101-16623-1
定　　价	138.00 元

序

中国是世界上著名的文明古国，这里的一切都渗透着一个"古"字，以县这个最基层的行政单位而论，自春秋战国开始陆续出现，到公元前221年秦始皇将县制推向全国，延续至今，已达两千多年。县的数量也由一千多增长到近三千。

就县龄而言，桐乡不算老，也不年轻，公元939年设县（乐史《太平寰宇记》），距今一千多年，初建时名崇德，县治设在义和市（今崇福镇）。到明宣德五年（1430），又一分为二，成崇德、桐乡二县，桐乡县治设在梧桐镇。到清代，因为崇德与清皇太极的年号相同，改名石门县，辛亥革命后改回原名。1958年，崇德县并入桐乡。1993年，桐乡又升格为县级市。

崇德成县虽不算早，却深得天时地利之便。它21岁时，就迎来了中华文化的巅峰期——宋朝，史学大师陈寅恪说："华夏民族之文化，历数千载之演进，造极于赵宋之世。"当时的全国经济文化重心由黄河中下游南移至长江下游，而崇德县正地处长江之南、钱塘江之北，我国唯一贯通南北的大动脉京杭运河，穿县城而过，离南宋之都杭州仅一百来里，属京畿地区。宋高宗为抗金曾九次路过崇德，住了九夜，甚至就地办公，这在全国县级的历史上是绝无仅有的。

宋代的县，按人口多少分为八个档次：赤、畿、望、紧、上、中、中下、下。崇德属中，算是比较小的县，但是凭借大运河贯穿全境的优势，经济得到飞速发展，一年的商税总额达4000多贯，超过了太原府下属的三个畿县（太谷、交城、文水）的总和（《宋会要·食货一六》）。

与此同时，它在文化教育上也迅速赶上或超越一些早建千年的古县。以办学与考进士为例。公元1085年，崇德县开办了培养人才的县学，《县学记》由百科全书式的大家沈括所撰，大书法家米芾书写，这样的盛事在县级教育史上是十分罕见的。办学不到四十年，奇迹出现了，1124年，沈晦考上状元。宋朝共118科，288个府州1234个县，平均两个州分不到一个状元，崇德一县就占了一个。曾经是华夏文明中心地区的河东（今山西大部及陕北神木、府谷），在宋代有11个府州81个县，才出了两名状元。进士的总数，崇德一县竟然与整个河东不差上下。更令人惊讶的是，崇德莫家五兄弟先后考中了进士，五子登科的佳话，宋代三百多年仅出现过两例，另一例是福建建安范氏五兄弟。反观河东，有几科甚至颗粒无收，急得司马光向朝廷提议，给河东一些特殊优惠政策。从这一对比，可以看出新兴的崇德县竞争力是多么强大！

宋代崇德县的知名度颇高，一些南来北往人士写的日记中经常会提到它。最早在日记中提及崇德县的是一位日本僧人成寻，他在《参天台五台山记》卷三说道，熙宁五年（1072）八月二十四日，乘坐杭州官员提供的大船，离开杭州到临平。二十五日经长安堰到崇德县，过夜。二十六日到秀州（嘉兴）。宋人日记中提及崇德县者有六种：赵鼎《丙辰笔录》绍兴六年（1136），郑刚中《西征道里记》绍兴九年（1139），周必大《归庐陵日记》隆兴元年（1163）及《南归录》乾道八年（1172），楼钥《北行日录》乾道五年（1169）与六年，陆游《入蜀记》乾道六年（1170）。赵鼎、周必大都是名相，楼钥为参知政事（副宰相），陆游是大诗人。他们的记载都是很有影响的。

还有一些没有紧迫事务的文人，他们经过崇德县时随时停留，观赏沿途美景，留下了许多诗篇。如书法家蔡襄，诗人陈与义、范成大、杨万里、叶绍翁，永嘉学派的代表人物叶适等均有咏崇德之诗流传于世。又，崇德离杭州甚近，大诗人苏轼曾与崇德县令周邠相唱和（《东坡诗集注》卷十二）。

宋代有大批镇市兴起，其中著名的有乌镇、青镇、石门镇等。乌镇、青镇隔河相对，河东为青镇，属崇德县；河西为乌镇，属湖州。乌镇、青镇本名乌墩镇、青墩镇，后避宋光宗赵惇讳，去掉墩字。镇虽分属两地，实际上融为一体，经济文化相当发达，其重要标志是修了镇志。宋代总共只修过两部镇志，其中之一即是《乌青记》（沈平撰）。

历史不会一帆风顺，蒙古铁骑踏碎了大宋社稷，华夏文化的高峰期中止了，社会开始走下坡路。当西方工业革命兴起时，清王朝却一味闭关自守，以致与西方的差距越拉越大，最终沦为半殖民地半封建社会。尽管如此，中华民族的文脉并没有断绝，而是顽强地延续下来。一百多年来，无数仁人志士艰苦奋斗，扭转了国运。特别是近几十年改革开放以来，国民经济飞速发展，中国迎来了新的辉煌期。桐乡又一次占了天时地利的光，它地处经济高速发展的长三角地区，离大都市上海甚近。大运河之外又有高铁、高速公路贯穿全境，经济发展的势头强劲，多年来稳居全国百强县之列。在文化资源开发上也有非凡的成就。乌镇已是享誉海内外的名镇，世界互联网大会的永久举办地，是桐乡市一张耀眼的名片。毋庸赘言。

这里需要多说几句的是，桐乡还有另外一张名片，那就是千年古县城——崇德。我国目前尚有数以百计的古镇，至于更高一级的县城，就少得可怜了，用"寥若晨星"之类的词语都无法形容，北方只留下一座平遥县城，列入联合国世界遗产名录。江南已找不到一座完整的县城，七十多年来，在旧貌换新颜的浪潮中，一座座县城都变了样，而崇德县因为早就并入桐乡，县城降格为崇福镇，受影响比较小，保存了较多的旧貌。

县城与镇不同，它是一县的政治、经济、文化、宗教的中心，有城墙、护城河、县衙门、监狱、文庙、城隍庙等，都是镇所没有的。而作为江南的县城，又与北方的县城大不一样。崇德有护城河，平遥没有；城内有河有桥，平遥也没有。到过平遥县城的再看这里，自有别样味道，县城河网密布，可以坐船在城内外游览，观赏小桥流水，湖光塔影，无须走回头路。城内房屋皆沿河而筑，穿过保存完整的横街，便是一条条弄堂。一座不大的县城，竟然有七十二个半条弄。最窄处，仅够一人欠身而过。大运河从城中间穿过，河西是衙门和热闹的商业区，县衙西有崇福寺（西寺），今存金刚殿，前有两塔，塔内藏有吴越王的涂金小塔。河东则有文庙，1946年我就在那里上学，庙很宽敞，墙边放着米芾书写的碑。庙前有高大的牌坊，两旁有千年古银杏树，南有荷花池、宝塔，庙后有纪念吕留良的亭子，环境幽雅宁静，是读书的好地方。古代县学多设在文庙里，这里曾培养出许多进士和举人。

根据崇德现有的条件，再适当修复城墙等建筑，无疑会成为江南第一古县城，足以与北方的平遥媲美。

世界上一些文明古国，往往辉煌一时，便陨灭了。唯有中华文明，绵延数千年，任何外力割不断，砸不烂。华夏文化究竟有何魅力，会如此坚韧不拔呢？许多海内外有识之士总想探个究竟，只是面对浩如烟海的中国古文献，不知道该如何下手。我觉得最简单的办法是，找一个县作为典型，仔细解剖一下，就能找见答案。正如俗话所说，一滴水珠能反映太阳的光辉。中共桐乡市委宣传部推出《桐乡大运河文丛》，从多个角度介绍全市的文化。当你看到一个刚过千年的县其文化已是那么厚重，那么精彩，就不难想象长达数千年的整个华夏文化是何等的惊人了。

李裕民

2023年11月19日

目　录

翰墨清芬

前　言

　　江南古运河，流经桐乡境内四十余公里，东起濮院，西至大麻，斜贯全境。其间河道纵横，尽与运河相连贯通。千载时光，岁月悠悠，运河已经深深融入桐乡人的生产生活之中。人们出行、货运、灌溉，乃至洗涤、炊饮，皆与运河不可分！

　　桐乡段运河，蜿蜒流淌在江南水乡的大地上，累积千载的运河文化，得天地之灵气，经清流之涵育，具备了鲜明的地域特色，成为桐乡历史文化的主旋律。它包括各种形式的物质遗产，如河道、堰坝、桥梁、渡口，以及古建筑群、历史街区、村民聚落，同时也包括与大运河有关的人文层面的诸多事物，如管理制度（漕运制度等）、民风民俗、人物图谱、人文景观、传说故事、诗词歌赋等。直至今日，运河文化依然深刻地影响着人们的物质和精神生活。

　　时移世换，挖掘运河文化的丰富底蕴，展现运河文化的多彩多姿，寻绎传统文化古为今用最合理的路径，已经成为时代的呼唤，万千人自觉的行为。传承文化基因、保护文化遗产、弘扬人文精神，历史赋予了当代人新的崇高使命。

　　当此之际，编撰出版《桐乡大运河文丛》不失时宜地被提上了日程。2022年5月，《桐乡大运河文丛》编委会和编撰团队组建完成，并发文公布，编撰工程随即正式启动。

《桐乡大运河文丛》的编撰，旨在全面、深入地挖掘整理运河历史文化遗产，丰富文化库藏，增强文化自信。《文丛》采用史话体的编写方式，以文字为主体，配以适当的图片，紧紧围绕运河的文脉传承和文化特色，再现大运河的迷人风采。

《文丛》追求史料真实性和文字可读性的完美结合。凡所记述，必有出处，凸显学术品位；同时注重行文的简洁优美，力求为广大读者所喜闻乐见。

《文丛》凡五册，从历史变迁、人物传记、人文景观、民风民俗、诗词韵文等方面开掘运河文化，摹写运河胜概，讴歌运河风蕴。《长河春秋——桐乡大运河史话》作为其中一册，分为三大板块，即"河道聚落""漕运商贸""翰墨清芬"。

大运河，是一条生生不息的时光隧道。

隋大业六年（610），江南运河开凿，其滥觞则可追溯至春秋时期。千百年来，河道、沟渠之开挖、疏浚，纤路、塘桥之建造、整修，驿站、铺舍之设置、运作，攸关民生，国运所系，前赴后继，代有举措。川流不息的运河水，浇灌了两岸一茬茬的庄稼，滋润了河畔一爿爿的良田。源远流长的农耕文明，因此得以滋长积淀。河畔水滨，民居稠密；世代繁衍，瓜瓞绵绵。歌哭于斯，市井长巷；人间烟火，村落处处。于是本书第一板块"河道聚落"中，便有《时空变幻古运河》《纤路迢迢跋涉难》《十八虹梁跨官塘》《皂林古驿永乐铺》《徽商笔下石门湾》《巡礼河畔古村落》等篇之设。

大运河，是一条百货通畅的经济大动脉。

明《（弘治）嘉兴府志》载："崇德之域，旷然平夷，运河一线，界乎其中。桑林稼陇，四望无际，皆平原沃壤。"这里被誉为鱼米之乡、丝绸之府、百花地面，物产的丰饶，带来了商品贸易的长盛不衰。崇德南三里桥一带，水上交易自古兴盛，素有"小瓜洲"之称。得水运之便，运河沿线，市镇林立；万商荟萃，会馆猬集；百货骈阗，漕粮北运；酒楼茶肆，无分城乡。于是本书第二板块"漕运商贸"中，便有《漕艘千古集官塘》《撑起商贸一片天》《百卉竞绽是作坊》《会馆文化别样景》《酒香不怕巷子深》《水乡风情茶肆闹》等篇之设。

大运河，是一条流光溢彩的文化长廊。

桐乡一邑，地处运河两岸。春秋吴越，争战之地，铁马金戈，遗迹斑斑；水脉文脉，自古交融，长河落日，渔舟唱晚；支流绵络，人文荟萃，文集诗册，汗牛充栋；迁客骚人，不绝于途，铁肩道义，家国情怀；科举路上，片帆千里，思亲怀友，寄之画笔；扣舷清吟，棹歌四起，歌之咏之，百里传响。凡此种种，人们无不津津乐道，抑或诉诸笔端。于是本书第三板块"翰墨清芬"中，便有《运河有情棹歌起》《笔底烟云运河缘》《青衫片帆科举路》《十里官塘到福严》《支脉绵络话桐溪》《翠蛾环坐忆洲钱》等篇之设。

大运河，无疑是人类文明的杰作。一条大运河，称得上半部华夏史。它源远流长，见证了历史前行中的每一个细节；它绵延至今，承载着亿万民众最深沉的乡愁。把握历史文脉，讲好运河故事，新撰的《桐乡大运河文丛》，或可成为长河中一朵闪闪发光的浪花?

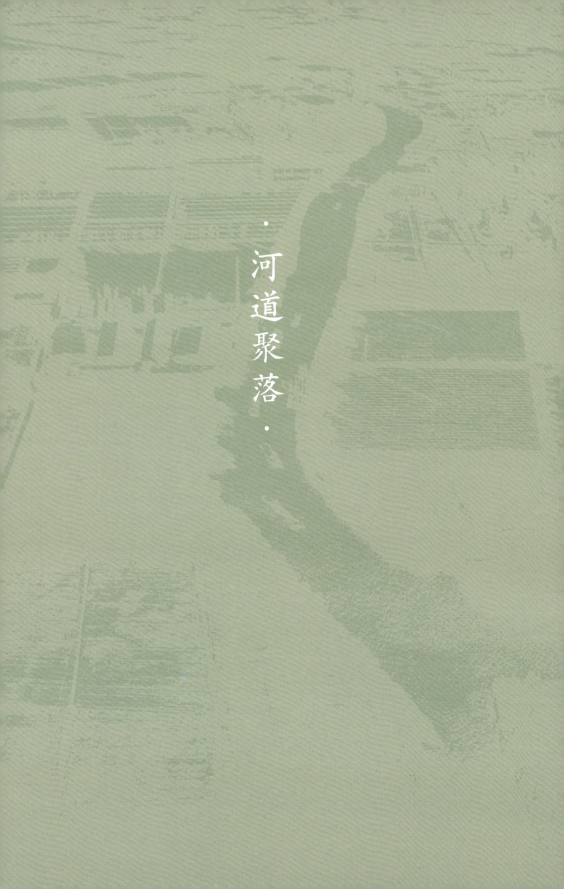

·河道聚落·

京杭大运河穿越桐乡全境 / 徐建荣摄

2014年6月22日，历史将永远铭记这一天。在卡塔尔首都多哈举行的第38届世界遗产大会上，中国大运河这一凝结着华夏民族无尽智慧与血汗的"旷世杰作"，申遗终获成功。从此，打开《世界遗产名录》，"中国大运河"赫然在列。

古老的京杭运河对桐乡大地何其眷顾！它西起大麻镇百富村，东至濮院正家笕，若算上崇福至海宁长安段上塘河故道，在桐乡境内足足有44.32公里，其长度占全省运河的三分之一。

川流不息的运河水，滋润着两岸的桑地、稻田，世世代代，农业文明特有的古意和馨香，充溢在村头巷尾；运河中风帆高举，舳舻相衔，穿梭于村镇旷野之间，经济因此得以盘活，社会关系亦因此得以维系；历代名流俊彦南来北往，诗词歌赋在碧波轻浪间汩汩流出，文化积淀因而愈来愈丰厚。

栖居在运河两岸的百万桐乡人，无论是物质生活还是精神生活，都与大运河须臾不可分，人们念兹在兹，视她为最贴心的母亲河。

运河源流

运河之称，宋代始有，桐乡一带习惯将其称作"塘河"或"官塘"。

春秋时，吴王夫差曾开挖百尺渎。《越绝书》卷二载："柴辟亭到语儿就李，吴侵以为战地。百尺渎，奏江，吴以达粮。"这百尺渎，是否就是当今江南运河之滥觞，学界众说纷纭，迄今犹有多个不同版本。史实究竟如何，尚待进一步考证。

隋大业六年（610）开凿江南运河，本是历史上一件具有划时代意义的大事，《隋书·炀帝纪》及《食货志》却不见记载，亦不见于《北史·隋本纪》。只是在北宋司马光的《资治通鉴》卷一八一《隋纪五》中才见到相关文字：大业六年冬十二月，"敕穿江南河，自京口至余杭，八百余里，广十余丈，使可通龙舟，并置驿宫、草顿，欲东巡会稽"。后世各地的方志，大都转引或借鉴《通鉴》的记载。如明《（嘉靖）浙江通志》卷三云："运河在府城（按：指嘉兴府）西。旧志：隋大业中开江南河，自京口至余杭八百余里，拟通龙舟。唐白居易有'平湖七百里，沃壤两三洲'之句，盖谓此也。"

江南运河的开凿，是利用原有的天然河道和六朝时开挖的水渠，将其拓宽、疏浚或取直而成的。

《汉书·地理志》有"武林山，武林水所出，东入海，行八百三十里"之载。这八百三十里的武林水，便是隋炀帝开凿江南运河时利用的天然河道。

《南齐书》卷十四又有"丹徒水道入通吴会"之载。丹徒水道，从江苏镇江至丹阳，东南经古江南河连通苏州，成为"江南运河的前驱"（朱偰《中国运河史料选辑》第二编第四章）。

清《（乾隆）镇江府志》卷二《漕渠》明确认为江南运河在六朝时已有端倪，不始于隋，并引《建康实录》及《舆地志》为证，实在是颇具卓识。

隋唐运河

　　江南运河自镇江南来，经吴江、嘉兴、陡门、石门湾、崇德、庄婆堰，南向长安，过长安即西向许村至临平，直达杭州。唐贞观八年（634），长安筑坝，形成上下两河段。长安经崇福至嘉兴为下河段；长安至杭州为上河段，又称上塘河，亦称运粮河。长安为上下两河之"分水岭"，最高时有近两米的水位落差。此为宋元以前隋唐运河主航道，宋《（咸淳）临安志》、《宋史》卷九十六等有明确记载。宋吴自牧《梦粱录》也有类似说法："（杭州）由东北上塘过东仓新桥，入大运河，至长安闸，入嘉兴路运河。"

　　明代张得中《两京水路歌》中有一段文字，描述的正是从杭州经临平、长安、崇德到嘉兴的运河风景：

　　　　北出关门景如画，竹篱人家酒旗挂。
　　　　皋亭临平谈笑间，等闲催上长安坝。
　　　　崇德石门逢皂林，湾边三塔高十寻。
　　　　嘉禾却过杉青闸，王江小路吴歌吟。

　　明顾祖禹《读史方舆纪要》这样记述上塘河："嘉定十二年，臣僚言：长安闸上彻临平，下接崇德，漕运往来，商旅络绎。今海潮冲激，两岸田亩恐有咸水淹没之患。而里河堤岸亦将有溃裂之忧。乞敕有司及时修治。"

　　明万历时，嘉兴人李日华著《紫桃轩又缀》，也印证了这一史实。他说，"唐以前，自杭至嘉皆悬流，其南则水草沮洳，以达于海。故水则设闸以启闭，陆则设栈以通行。古《胥山碑》谓'石栈'，自钱塘江北抵御儿之胥口，乃其证也。至今有'石门''斗门'之名，而其迹则湮于阡陌久矣"。该书卷三又说："唐宋时，嘉湖地皆悬流，重重设堰埭，用牛挽船过堰而征其税，置官领之。唐人诗所云'牛屎堆边识张祐'者，以祐曾为我地东瓜堰官也。"

从上述文献可知，唐、宋以前杭州至嘉兴或湖州至嘉兴由西向东的河道都是落差很大的悬流，往南则是水草丰茂的滩涂湿地，水运条件极不理想，因而南北往来的船只大多从崇德往南至长安，越长安坝经上塘河往来杭州。长安经崇德至嘉兴段隋唐大运河至今尚存，长安至崇德段河道，人们习称崇长港。

南宋淳祐七年（1247），浙北大旱，禾苗枯槁，上塘河竟至断流。偏居于东南的南宋王朝，面临内忧外患，已处于风雨飘摇之中。然而，迫于火烧眉毛的旱情，地方政府依然组织了一项颇具规模的水利工程：在崇德（今桐乡市崇福镇）南侧疏浚、开拓原有河道，自崇德拐弯西行，经大麻、博陆，西接塘栖，与从杭州南来经武林港至塘栖的河道连通。此即下塘河。

宋代时已有下塘河贯通杭州、塘栖、博陆，并延伸至今桐乡境内，这一史实在宋《（咸淳）临安志》卷十七中言之凿凿："东北自江涨桥沿下塘河至博陆村，抵安吉州德清县界，八十八里。"此处所谓"安吉州德清县界"，应当就是今天归属桐乡的大麻地界。该志卷三十五所载更为详尽："下塘河，南自天宗水门（接盐桥运河）、余杭水门（接城中小河清湖河），二河合于北郭税务前，由清湖堰闸至德胜桥，与城东外沙河、菜市河、泛洋湖水相合，分为两派，一由东北上塘过东仓新桥入大运河，至长安闸入嘉兴，曰'运河'；一由西北过德胜桥上北城堰，过江涨桥、喻家桥、北新桥以北入安吉州界，曰'下塘河'。"

江南运河改道以后，下塘河及与之贯通的河道成为当时运河南段的主航道，而上塘河仍为杭州经长安通向下河段的重要航道。

入元，上塘河逐渐淤浅，武林头至东通塘栖、博陆、崇德段河

运河晨韵 / 施青山摄

道的作用愈显重要。元至正十九年（1359），因财赋、军队输送之急，当时尚称诚王、后来改称吴王的张士诚役使二十万军民，利用旧有河道，拓宽、疏浚武林港至江涨桥的下塘河，历时九载始成，名"新运河"。此后，南北往来的舟船行旅、官舫漕船走上塘河的愈加稀少，更多的船只都取道便捷的崇德至博陆、塘栖的下塘河水道。《明史·河渠志四》对此记载甚详："江南运河，自杭州北郭务至谢村北，为十二里洋，为塘栖，德清之水入之。逾北陆桥入崇德界，过松老抵高新桥，海盐支河通之。绕崇德城南，转东北，至小高阳桥东，过石门塘，折而东，为王（玉）湾。至皂林，水深者及丈。过永新，入秀水界……"明《（成化）杭州府志》卷二十七对此亦有明确记载："元至正末，张氏（张士诚）军船往来苏杭，以旧河为狭，复自五林港（塘栖武林头）口开浚至北新桥，又直至江涨桥，广二十余丈，遂成大河，名新运河。"

直到六百年后的今天，下塘河依然承担着京杭大运河杭州至嘉兴段主航道的历史使命。

明清运河

隋唐运河流经崇福镇时，原系一条直塘，从南往北直穿镇区。但到明嘉靖间，却由直塘改作绕城的弯兜。这是境内运河首次力度颇大的改道。此事与吕希周息息相关。吕希周，字师旦，一字从野，号东汇，今桐乡高桥街道北阳桥人。他的一生，大概命中注定要与大运河结下不解之缘。明代以来，数百年运河史，不止一次地留下了他的身影。

嘉靖五年（1526），吕希周考中二甲第四名进士，从此踏入仕途。他的第一个官职，便是工部都水司主事，掌（江苏）清江提举司，主管清江督造船厂，兼管清江浦运河上五座闸门的运行启闭。清江督造船厂负责建造江南数省漕粮用船，下辖四大船厂，八十二家分厂，每年建造的漕船达五六百艘之多。吕希周的这份差使，在明代席书篡辑、朱家相增修的《漕船志》中记载得甚是明白。清江浦是长江以北的重镇和交通枢纽，扼漕运、盐运、河工、榷关、邮驿之咽喉。在此任上，吕希周以他出色的才干，写下了人生中第一份令人炫目的答卷。他曾具呈漕司，请求准许添设卫河厂把总官，并行文各卫选取官军赴厂，以造运船。同时将浙江厂遗下的厂地和大隐寺废基派给厂官起盖房舍居住。三年任上，商民负担未加重一分，却比前几任官员多积存白银一万七千多两。

嘉靖三十三年（1554），闲居在家的吕希周奉命协助知县蔡本端修筑崇德县城，历史又一次将施展才干的机会慷慨地赠予了他。

三十四年初，城未筑成而倭寇突然由海盐经袁花、长安窜入崇德，数度烧杀抢掠，城内百姓备受荼毒。五个月后，崇德城墙终于修竣，吕希周为此撰《筑城记》，镌之石碑，竖于薰仁门外。此次筑城，精通堪舆的吕希周多有襄助策划，改运河直塘为"九弯兜"，纡缓曲折，绕城如带，与护城河合一，以水为障，既利于通漕，又便于防守，故民间向来有"崇德吕希周，直塘改作九弯兜"之说。清嘉庆间，洲泉"千年吴"子弟吴曾贯《语溪棹歌》曾有诗咏吕希周让运河改道事："官塘一线入城流，何事湾湾曲似钩。船上阿翁频指点，至今犹说吕希周。"

崇德筑城，运河直塘改弯兜后，南北向穿城而过的隋唐运河故道就变成了市河（即今之市河）。运河从石门湾一路往南，新道绕行崇德东半城，过青阳桥、司马高桥后南拐，至城南一里处有建于宋嘉定间的包角堰桥（南三里桥），以及分别建于明弘治间、万历间的东西向何家桥、南北向登云桥。运河过包角堰桥后分作两道，一道经何家桥、登云桥直向长安镇，另一道由此桥向西南经大麻、博陆，然后过塘栖、武林头，又南向至杭州。其时，自崇福北门至南三里桥，总长1.8公里的水程，须穿过青阳桥、司马高桥、南三里桥三座石拱桥，航道狭窄，且多弯道，故有"船老大好当，崇福三湾难过"之民谚。

清康熙二十三年（1684）九月，康熙帝首次南巡；清乾隆四十九年（1784）乾隆帝最后一次南巡，其间正好相隔百年。祖孙二人先后出巡江南，一应船队都从运河经过。从石门、崇福至杭州，走的就是下塘河。石门湾设有南巡大营，"翠华六幸有行宫"，至今运河边上"营盘头"遗址尚在。而进入崇福境内，则多次自北塘甘露庵（俗称北寺）登岸，入朔义门，出薰仁门，至迎薰馆码头，换乘二十四桨轻舟，经长安镇至海宁盐官抵达陈氏安澜园。龙舟在官塘经过时，岸边古道上轻骑护航，彩旗猎猎，沿途官员跪拜迎送，恭候圣驾；百姓则扶老携幼，倾家而出，夹河观瞻。帝制时代统治者恣意挥霍民脂民膏所摆出的那种皇家巡幸的威风、排场，于此可见一斑。

明宣德五年（1430），桐乡从崇德析县后，两县的地方志中对各自境内运河的流向均有描述。

明《（万历）崇德县志》称运河"自仁和、德清东北入县界，北流十八里经石门，东流三十八里入秀水界。东北抵京口闸。嘉靖中筑城亘运河东，自小南门而东门而北门。城外别开一河以通漕运"。

清《光绪桐乡县志》则载："至石门一折而东入桐乡界，其转汇处名玉湾（原注：旧志称此地为白龙潭。水阔十余丈，其深莫测。今则水势甚浅，故小轮舟过此辄愁胶滞）。由是东迤，北过塘北洪济桥、曹家笕、乌道笕、李家笕……共计桐境塘河长三十四里。"

清早期名臣、治河专家张鹏翮曾任浙江巡抚、河道总督等职，他的《江南浙江运河图说》有如下记载："桐乡县运河自秀水县正家桥起，至石门县石门镇接待寺止，计程三十里。石门县运河自桐乡县石门镇接待寺起，至仁和县界大麻止，计程三十里。"

运河新道

明代以降，江南运河主航道的走向一直是从杭州、塘栖逶迤向东，先后穿过望仙高桥、松老高桥、彭河桥、大通新桥、包角堰桥、司马高桥、青阳桥、迎恩桥、北三里桥，然后北去石门流向嘉兴。

1971年春，崇福镇疏拓市河，实施镇区段运河"三弯截直"工程。施工段市河自北门木材仓库至南门化肥厂，全长1.8公里。疏拓后，河面宽50米，达到六级航道标准（100吨级），且在沿线建起18个码头，20个泊位。

时过境迁，当年吕希周开挖的九弯兜，使命早已完成。河运面临着新的局面，航道需重新规划。历史在这里兜了一个大圈，又回到了原点，昔时隋唐运河故道又重新成为运河主干道的一段。

1997年11月，改造松老高桥至羔羊桥运河航道，即在崇福镇西部，从马桥港至北三里桥新开挖一段运河，全长4.4公里，开挖土方122万余立方米，总投资1.2亿元。新开运河的河面平均宽62米，达到四级航道标准（500吨级）。

运河新道开挖以后，崇福一地形成隋唐运河、明清运河、新开运河三河并流的独特景观，千年运河史因此增添了精彩一页，世人为之瞩目。

新航道与崇福老镇区错道而行，远离了市镇的喧嚣，缓缓流淌在农田桑陇之间。这里河面愈显开阔，大吨位的船只畅行无阻，于国计民生实在是大有裨益。

此次开挖的运河新道，其实早在四百多年以前吕希周已作此设想。他当时就建议新凿运河从松老高桥向东北斜出，直贯改建后的北三里桥，并在桥北筑分水墩以缓冲水流。

1997年11月开浚的马桥港至北三里桥运河新道 / 金炳仁摄

新辟第二通道

江南运河浙江段在"八五""九五"期间实施内河航运改造工程后，杭州市河及三堡船闸成了浙江段的通航瓶颈。从根本上解决京杭运河运力不足及杭州市河的通航瓶颈问题，实施京杭运河浙江段三级航道整治工程已迫在眉睫。绕开杭州城区，开辟运河第二通道，这一极具针对性的对策因此被提上议事日程。工程全线按三级航道标准实施。

第二通道绕出杭州市区，发端于塘栖，往东沿杭申线航道经五杭至博陆，再沿余杭区与桐乡市的边界往南新辟航道，穿320国道、沪杭铁路、沪杭高速公路、杭浦高速公路、杭州绕城公路、德胜路，终于八堡船闸上游引航道终点。其中博陆至八堡段长26.4公里为新开挖的河道。桐乡境内段北自大麻镇湘漾村吉浜河组起，南至西南村黄金里组、洽光桥组止，全长近2公里；总用地面积343亩，其中耕地283亩；建桥五座。工程于2019年6月1日正式开工。按照设计方案，航道底宽45米，面宽70米（两侧护岸间距），开挖深度达到5.1米，水深为3.2米。河道两侧将布设栏杆，且有步行通道随新开河道延伸。

第二通道南通钱塘江，以后还将往北延伸，连通含山塘。人们将这一条更便捷、更畅达的运河新通道喻为"水上高速"！

第二通道的开挖，令千年古运河一改旧颜，焕发新貌，进而开启全新的征程。

水网纵横交叉

隋唐大运河开挖后，桐乡境内多条水系均与运河贯通。诚如清《（雍正）浙江通志》所载："运河历谢村、塘栖，穿石门城，左受语儿、枫树十八泾，右受柿林、羔羊十三泾之水，径石门塘东折，弯环如带，曰'玉湾'也。……其支节起伏时见于平畴弥迤之间。"单就崇福镇域而言，运河开挖后，有多条河流从镇域呈放射状通往周边城镇，古镇崇福因此成为当地的水利枢纽和交通航运中心。运河干道北通石门湾连接嘉兴，西接大麻镇连通杭州，南由长安塘直达海宁，运河塘东有南沙渚塘经星石桥流入海宁，中沙渚塘经高桥集镇流至与海宁交界处，北沙渚塘东出南日港，店街塘东流注入长山河，塘之西有洲泉港通往洲泉，大红桥港西接大有桥港。故崇福民间早有"九龙戏珠"的传说。镇域其他骨干河道，大有桥港、羔羊港、沈店桥港、白马塘、黑板桥港、金牛塘、康泾塘、永兴港等，均与运河纵横贯通。

桐乡境内以运河为骨干、支港纵横交错的状况，清《（嘉庆）石门县志》卷八引宋《语溪志》如此记载："沧溟灏溔，缭于郡之左右。……支港纵横，分布回环。七百围之间，仿佛井田遗象。"清《光绪桐乡县志》卷二说得更为具体："运河之在桐境者凡四十里，介于六乡之中。沿塘有泾，通于支港。盖塘以行水，泾以均水，塍以御水，坝以储水。脉络通贯，纵横分布于六乡三百余围之间，仿佛井田遗象。"

丰子恺将它比作一张渔网："运河两旁支流繁多，港汊错综。倘从飞机上俯瞰，这些水道正像一个渔网。这个渔网线旁密密的撒布无数城市乡镇。"

与运河相通的水道，大多为自然河道，间或也有人工开挖的。

清《（嘉庆）石门县志》卷八《水利》引明《（正德）崇德县志》，记载了当时知县洪异躬督万夫、开挖天长河的往事："千乘乡原有荒土一区，即古吴越屯兵之所，俗称天长路。向因旱涝无所蓄泄，名为积荒田，税累一县赔纳。县令洪异询得之，于正德十一年三月二十四日躬督万夫，财力兼济，开为十字河。三日而就，通沙木等泾。东西七八里，南北五六里，广五丈余，总若干围，计田可灌溉者四千余亩。编籍招民开耕，限三年成熟起科，补衲荒粮。民感其惠，

1971年，修筑崇福市河斜坡护岸场景 / 汤闻飞摄

又称为'洪河'云。"

老百姓心中都有一杆秤。哪个官员是实心为民谋利，谁又是表面上道貌岸然，暗地里贪赃枉法，借公肥私，他们即便嘴上不说，心里也十分清楚。将天长河称为"洪河"，便是一个生动例证。洪异显然是一个清官，他关心民瘼，亲率乡民开挖天长河，直接造福当地百姓，因而深得人们爱戴。《槜李诗系》卷十一载录明弘治间任教谕一职的崇德人周淞的《洪河》诗："谁凿天长水满塘，菑畲端可足民粮。欲知遗爱深于海，都在空祠一瓣香"，如实道出了百姓心中的赞辞。洪异在崇德知县任上，还修纂了《（正德）崇德县志》。此志虽佚，但其中不少语段常在后世所修方志中读到，譬如下文提到的吴越王钱镠招募兵卒设置撩浅军一节就是。

运河疏浚

运河穿过村庄，流经田野，不舍昼夜，缓缓流淌。其中的淤泥杂物，不断沉积，拥塞河床，终至淤塞航道。故而自古迄今，对运河的疏浚治理从未间断。

五代时，吴越王钱镠招募兵卒专门设置撩浅军，负责治河筑堤。《（嘉庆）石门县志》卷八引《（正德）崇德县志》："吴越王镠募卒为都通南北河，号曰'撩浅'，河底铺石犹存。"

北宋神宗熙宁、元丰间，崇德长官主管运河堤岸。同样是《（嘉庆）石门县志》卷八引《（正德）崇德县志》载："时置农田水利使于浙右，以浚河渠，固防岸，通畎浍。故崇德长官以主管运河堤岸系衔。"

明清两代，更是以漕运为军国大计，视运河为国家命脉。地方官员不遗余力地使运河通畅，以保证航运、灌溉，疏浚、开挖之举多至十余次。

明景泰间，知县郁纶疏浚玉溪至大麻段运河，凡四十里。

成化二年（1466），浙江参政何宜分守浙西，大兴水利，委派官员疏浚塘河，修筑崇德一带圩岸。

正德十一年（1516），知县洪异躬率万夫，开挖天长河，东西七八里，南北五六里，成"十"字状，河面宽五丈有余，连通运河、沙木泾等水道。

嘉靖二十六年（1547），知府赵瀛疏浚运河，筑语儿上塘。三十五年（1556），筑城墙横亘于运河之东，同时在城外别开一条支河以通漕。三十九年（1560），知县刘宗武大浚城河。

万历元年（1573），知县蔡贵易疏浚运河，自彭河桥至羔羊，凡二十里。第二年，疏浚事毕，孙植特撰《浚运河碑记》，称其时"邑之漕渠，岁久不治。自松老桥至六里桥，水道淤涸，漕舟告阻"，运河的疏浚治理已经到了刻不容缓的地步。这一次共疏浚河道二千六百三十丈，为工者三万六千七百，耗银一千一百七十余两。《碑记》之末，有诗赞颂："嘉郡西鄙，古御儿乡，邑治其疆。浙有转漕，粳稻千艘，为帝祖藏。渠之不浚，波为陆尘，道阻且长。台臣按部，以檄水监。下之守令，夙夜以将。饬材庀功，为物土方。万夫奋锸，集于周行。以疏以凿，决彼沟防。既广且深，河流泱泱。云帆如驶，沃野膏壤。欢呼漕卒，赖及农商。功侔神禹，明德不忘。"

三十余年后，石门湾一带河道又渐淤壅。时任崇德县知县靳一派，是个颇有作为的地方官。他十分重视治水浚河，但限于物力，举步维艰，加之终日冗事缠身，因而感叹："嗟乎！安得物力稍裕，大治运河，浚深丈许，而簿书稍暇，身与僚属更番巡行……俾塘左右，均收泽国之利，而无虞泽国之害也。"他在任时，曾主持修纂《（万历）崇德县志》。此志提纲挈领，要言不烦。崇德县（后改名

石门县）现存志书中，这是最早的一部，具有极高的史料价值。万历三十八年（1610），靳一派主持大浚城河及玉湾河。《（万历）崇德县志》中特别提及："城河湮浅，稍旱辄涸，兹特大加疏治。石门湾漾洄如带，日久渐壅，豪右踞之。一派申详浚辟，仍筑罗星，以固风气。"

清康熙六年（1667），知县刘允楷偕县丞季芷大浚运河，自松老桥至玉溪镇，三十余里，计六千一百七十丈，共分六段，每段画好图里，分别施工，委庠生夏方昊负责工程实施。施工期间，漕艘照旧通行无碍，农田仍可灌溉。四十六年（1707），知县张廷采奉檄疏浚运河，自圣塘庙至玉溪镇，共三十六里，计六千四百八十丈，同时疏浚塘西诸泾及附近浜河。

咸丰六年（1856），知县丁溥疏浚运河，自玉溪镇东高桥至羔羊。

同治十二年（1873），时在太平天国运动后不久，迭经战乱，河身为瓦砾所积，小旱即淤，时有阻浅之虞。知县余丽元创捐疏浚运河玉溪段，水利厅杨纯礼奉知府宗源瀚檄任监工，冒暑不倦。

1972年正在疏浚的石门镇段运河 / 汤闻飞摄

　　潘凤梧，桐乡人，明隆庆四年（1570）举人，清《（康熙）桐乡县志》中关于他的资料只有三言两语。潘凤梧一生专注于治河，又总结治河经验，撰成《治河管见》一书。《四库全书总目·史部·地理类存目四·河渠》著录此书曰："《治河管见》四卷，两淮马裕家藏本。明潘凤梧撰。凤梧，桐乡人，贵州籍，隆庆庚午举人。是编末有茅一桂跋，称为'安边济运本书'。盖凤梧别有《边事》一书，合此书而总名之。此则仅存其治河书也。书中多作歌括，立名诡激，而词意实浅近。后载聘启之类，尤为芜杂。"

　　《治河管见》共四卷，内容虽近空泛，但仍为后世提供了一些治河方策，所述治理黄河的方略中涉及漕运问题及黄运关系，是运河研究不可忽略的内容。此外，作者善于图绘，对各种治河用具与图谱绘制的描述甚为细致，具有一定的实用价值。

　　潘凤梧关心民生疾苦，倾注心力于水利建设，多次上书朝廷，提出治水建议。其《嘉兴府桐乡县举人潘凤梧呈为沥血诚弥灾旱恳祈乘时修堤防公水利以活万灵以全国赋事》提出：嘉靖六年（丁亥，

1527），附近各县都遭遇大水。七年（戊子，1528），桐乡又遇干旱。当然，这一年还算好，只有桐乡一县遭逢灾害。下一年（己丑，1529），旱灾较上年更为严重，甚至波及周边各县。况且当年又是一个罕见的干旱年，赤日炎炎，绝少下雨，西南一带众多河道只剩下一线之水，势必难以解救东北一片旱象的蔓延。"洞庭之波，非数日之积；百川趋下，非一力可挽。苟不预先呈明，诚恐来春虽少有雨，难满太湖旧积。或未种而港先干，或种后而水不继，将来之旱不止，崇与桐也，百万生灵，孰能生活？亿兆粮运，孰计维持？恳祈仁□准呈查勘，如果不谬，乞赐转达当路，预期奏闻。先治上流，次及低下。要于德清地方西来港水，并同余杭一带溪流诸水，自德清起经五陵，过塘栖，至崇德，北过石门，修复石门旧额。又东过秀溪，又东过皂林，至于陡门，修复陡门旧额。又东经嘉秀，至于杉青，修复杉青旧额，使一带塘南之水，不许落北，名曰'中坝'，以救崇、桐二县及嘉兴高冈之处……"

潘凤梧还作有《三吴水利救灾歌》，作者因家乡遭受严重旱灾、百姓生活艰难而忧心如焚的情状如见如闻："……谚云长安坝下塌，较之高于吴江塔。曩者七十二桥开，宁不崇桐港底灰。眼惊二邑禾难种，渐见嘉湖车无用。在昔丈二丈八长，踏来不到水边傍。六郡卓然赖太湖，万顷无波千里芜。……假令仍坝长桥处，此时宁肯信吾虑。计今急闸崇桐口，先保来春水不走。天目众流本过东，两头车急真瘠土。赋重田荒人民苦，矧兹更遇重饥岁。食无鱼兮饭无粝……"

京杭运河从杭州出发，斩关夺隘，一路北上。始终跟随大运河前进的步伐一路同行的，是它的好伴当——纤道。然而，"年来波啮堤决，化为沮洳"，再加上不知多少年的风霜雨雪，烈日炙烤，还有一代又一代纤夫行人的踩踏，路面早已坑洼不平，面目全非。纤道昔日的风貌不复见，甚至因年久失修，不少地方断岸没膝，致使纤夫裹足，万千行者无不望路嗟叹！但它那裸露在烈日下或寒风中瘦骨嶙峋的形象，依然是那样的坚韧不屈，令世人肃然起敬。

纤道又称塘路，是人工修筑的河堤，也是往来交通的要道。明万历间崇德县知县陈履的《嘉禾道中》诗，就给后人留下了一幅这位父母官日夜奔走于民事，往来运河官道，舟中双棹齐驾，塘路上有一群纤夫踏霜背纤的图景：

> 语溪东去接檇李，一望迢遥将百里。
> 问谁夜泛不知疲，岭海狂生语溪吏。
> 自来此地两春秋，吏事不治空怀忧。
> 簿书期会纷来往，白日奔趋夕未休。
> 一叶轻舟驾双棹，逐电追风期速到。
> 三老寒宵迥不眠，群夫踏尽严霜道。

石门咫尺连皂林，桐乡高令时相寻。

民国时，崇德钟梓作《御儿竹枝词》十九首，其中"纤路迢迢跋涉难，黄梅水涨拍洪澜。年来到处呼泥滑，冲刷漂流没岸滩"一诗，着实道尽了当年纤塘久失修筑、艰于通行的实情。故而不断整治、疏浚和维护，以确保纤塘畅通，便成了历朝历代地方官府和民众一桩不得不倾全力应对的大事。

修筑塘路，常与河道疏浚同时进行。"塘岸一带都保久失修筑，日渐隳坍，纤路狭窄，艰于行往。今就此河所掘之土，帮筑塘路，庶几水陆皆有利济，实一举而两得。"《（咸淳）临安志》中的这段话，其实是一种普遍现象。

关于修筑塘路的文字，文人笔下，常有流布。王之舆《崇德道中》一诗写的就是修路事："畚锸丁丁满荻洲，为修塘路好牵舟。绣衣未必楼船坐，寄语民间莫筑愁。"若翻阅府志县志，此类文字更是占据了不少页面。

唐元和五年至九年（810—814），苏州刺史王仲舒在运河西岸修筑自嘉兴西水驿向西直至语儿（今崇福镇）的土塘九十里，这是地方文献中最早记载的修路之举。

五代时，吴越王钱镠设置"都水营田使"，设置营田军四部，统一筹划治水营田事宜。又募士卒创置"撩浅军"，也称"撩清"，让他们治河筑堤。

宋端平中，转运使乔惟岳凿通所经堤堰，以通漕运。熙宁、元丰间，明确由知县主管全县境内的运河堤岸。

明清时，纤塘隳坍愈益严重，故修筑、维护之举尤见频繁。

明永乐三年（1405），左通政赵居仁奉诏浚河，保证漕运驿递畅通。自崇德北抵江苏吴江，沿塘种植榆柳加固堤岸。

崇福南三里桥塘路 / 汤闻飞摄

宣德五年（1430）九月，周忱以工部右侍郎衔，继胡概之后，巡抚江南诸府，总督税粮。周忱在江南巡抚任上，前后共二十一年，尽心公事，轸念民瘼，老百姓都认为他是一位难得的好官。周忱专力治理运河，曾传檄筑塘岸以畅通漕运，自崇德南津乡至塘栖，直达杭州。桥道未接通者则开路、设桥，塘路从此通达无碍。正统七年（1442），周忱又疏浚运河九十余里，自杭州北新桥起，自北而东，直至崇德县界，筑塘岸一万三千二百七十二丈四尺，建桥七十二座，水陆并行，利于交通。

读《明史》有关周忱的记载，他与下层民众平等相处的嘉言懿行，至今犹令人感动："既久任江南，与吏民相习若家人父子。每行村落，屏去驺从，与农夫饷妇相对，从容问所疾苦，为之商略处置。其驭下也，虽卑官冗吏，悉开心访纳。……暇时以匹马往来江上，见者不知其为巡抚也。历宣德、正统二十年间，朝廷委任益专。"周忱离任之日，百姓多有不舍，思念不已，"即生祠处处祀之"，"自尚书周忱而后不乏多臣，然江南之民至今思慕不忘者，惟知一周忱而已"。

嘉靖二十六年（1547），嘉兴知府赵瀛疏浚运河，筑语儿上塘。赵文华撰《修运河塘记》："土塘起语儿，迄西水，凡百又十里，亦残缺不治久矣，并令新之，凡再阅月而二塘告成，皆坦然如砥。"四十年（1612），嘉兴知府吴国仁实地勘察后具文申请尽筑石塘，筑成秀水北塘一千四百八十八点五丈，西塘二百一十五点四丈，崇德塘三百一十二点二丈。明陈懿典《嘉兴新筑运河石塘碑记》记载："论塘之功，跨省直历三邑。……桐乡塘二百一十五丈四尺，泄水洞五座，崇德塘三百六十一丈二尺。"

清顺治十三年（1656），巡按王元曦委派推官尹从王重修运河塘路。崇德钟鼎为记："是役也，经始于丙申（顺治十二年）十二月，竣于丁酉（顺治十四年）二月，窄隘宜筑帮岸者五百余弓，坦荡而通车马者六百余号。灰石之用，工料之费，桥梁之资，马枋之设，共计银二千零九十两五钱。"雍正六年（1728），浙江巡抚李卫动用国库资金委派专员修筑玉溪镇至大麻一带堤塘。乾隆十四年（1749），知县张愉重筑玉溪河岸。朱鸿特为赋《张明府移南塘废石筑玉溪新岸纪事诗》以记其事："五丁运石胜开山，南浦移来筑玉湾。欲借旧坊除水患，故施新政恤民瘼。长堤斜抱千家曲，大泽中流两岸环。此是甘棠思召伯，闾阎相戒勿跻攀。"光绪二年（1876），崇德县又修筑运河南北沿河塘路。

明初，运河北岸妙智以西塘路坍损严重，行路为难。官府得悉镇上濮氏累世富足，资财雄厚，就让他们承担修筑从陡门万寿山直抵皂林塘路的所有费用。濮氏向来轻财重义，积而能散，素以修桥铺路、福泽乡里为己任，于是慷慨出资。修整后，路面平坦如砥，人称"濮家塘"。此后，每年清明的划船会，都在濮家塘前举行。划船会大都展示各村的农作生产场面，祈求来年五谷丰登，蚕茧丰收。濮院沈廷瑞《东畲杂记》具体描摹划船会时从万寿山到皂林双桥，河面上船头涌动、人人争观的热闹场景：

> 清明日，乡人每圩各装一船，为划船之会。用松毛作棚，船中鸣锣鼓。一人椎髻簪花作蚕妇妆，先翻叶仙诗，卜叶价之高低，次为把蚕、秤蚕、缫丝等事，以卜蚕丝之丰歉。又一人农服作田夫装，先下秧田，次为种秧、踏车、耘田、刈获、打稻之事，以卜田岁之丰歉。盖《豳风》之遗意。演毕，弄刀剑、钢叉以习武事，亦农隙讲武之意。或一人赤体试拳棒，或两人对搏，盖仿古白打之戏，皆会于万寿山、陡门等处。划船数十，往来如织。仕女棹舟，往观甚众。或因扫墓而看划船，名曰"闹清明"。

陡门至宗扬庙间的濮家塘 / 苏惠民摄

陡门、万寿山，在运河北岸，旧时皆归属嘉兴新塍镇，故《（民国）新塍镇志》亦有划船会的记载。

濮家塘之修建，历代史籍的记载多有不同。

清《（雍正）浙江通志》载塘路是由卜、濮二姓共同建造的："运河塘，一作皂林塘。元时卜、濮二姓富饶，官令甃砌。明时责于塘长。国朝雍正五年，巡抚李敏达卫公动帑五百两有奇，修筑正家笕桥至玉溪一带塘岸，遂成塘路。"

嘉庆时，桐乡程鹏程《桐溪纪略》将濮家塘列为"桐溪八景"之一，名为"濮塘云树"。但筑塘之人，却又归于濮氏一姓，而且筑塘时间更是提早到了南宋："皂林至陡门为濮家塘，相传南宋时濮氏所筑。"清《光绪桐乡县志》沿用此说。

这些不同的记载，孰对孰错，一时难以考证。但此塘之筑，使危路变为坦途，方便行者数百年；运河沿途，因此而平添一份人文积淀。此后直到民国时，历经数百年的磨损踩踏，塘路又坍损不堪，方再次重修。

民国十二年（1923），濮院镇仲少裳倡议捐资重新修筑妙智至永新之运河塘，郑曰章《癸亥修筑运河塘记》对此有详尽记载："运河塘，旧称濮家塘，为濮氏甃筑，在前清有岁修之举。光复后，任其坍塌，虽有水利专局，而不之过问。水涨时，纤夫往来，几遭灭顶。民国癸亥九月，仲君少棠发起捐资修筑，余与沈君润卿、徐君颂嘉助其募集，得八百余金。时华洋义赈会有以工代赈之举，牒于县，得拨款六百三十元。择其坍塌尤甚者，自妙智至永新约三里许，修筑之。而就地乡民，若陈元海、朱建林、俞宝亭、朱有福等，亦莫不踊跃将事，襄助督察。历四十余日，雇夫一千九百三十九工，而始竣事。运河北岸，今不属濮院区，濮之人毅然修之，不分畛域，义也，殆犹有濮氏遗风欤！"

《光绪桐乡县志》又有西官塘、东塘修路的记述："西官塘，自县西北距皂林镇九里。明成化十六年，分守参议梁镛令有司甃以砖石。正德间复加修理。""东塘，在康泾东汇之上，自县治抵皂林，南北九里。明天顺间，泾口多架木以通往来。万历时改为石梁。"

塘路古亭

桐乡境内塘路贯通以后，成为车马人流通行的官方驿道，故沿途设有路亭，专供行人歇足，也为众人遮风挡雨。若有闲致，水中舟楫，路上人流，在在皆是风景，尽可停息凭眺，游赏骋目。

七里亭，在崇福至长安运河中段，往南，便是海宁地界。

何三亭，位于大麻镇北运河南岸，与吴王庙为邻，地处运河岸边。民国十六年（1927），里人金炳鳌修建，为砖木结构四角凉亭，石柱上镌有对联："来自他乡何妨息足，行到此地暂可安身。"1973年，大麻公社革命委员会对凉亭进行维修，铲去部分对联，改镌毛泽东诗句"喜看稻菽千重浪，遍地英雄下夕烟"。

观风亭，宋时建，位于崇福镇。元《（至元）嘉禾志》载：春风楼"在县东南三十步，宋知县奚士达以观风亭改建。淳祐间，知县黄元直重修"。观风亭、春风楼当年是运河边的一处胜景，春风楼下有濒河之室，以备士夫舣舟易衣之地；傍街设朱阁，以为公家揭示之所。民国时，遗址上建有总管堂，匾额题有"春风楼"三字。南邻为"陈记第一楼"茶馆。1971年拓宽崇福市河时均被拆除，在原址新建春风大桥。

大通新桥亭，位于崇福镇城郊村大通新桥南侧。

六里亭，在崇福镇联丰村运河塘边。

营营亭，1934年崇德名士马念仁悼念去世的夫人程氏，在运河塘边原六里亭址建营营亭。应马念仁之请，杭州王艺特撰《营营亭

崇福北门外的拱宸桥，俗称北三里桥。桥洞西侧设石纤塘，往来船只皆从桥下过纤 / 汤闻飞摄

运河支港沙渚塘的纤路 / 徐建荣摄

记》，称"营营亭者，马君念仁悼念德配程夫人所建筑也。昔唐元稹悼亡诗有'营斋营奠'之句，后世凡悼亡者必营斋营奠以资冥福。节斋奠无益之费，营建斯亭以荫憩行道，留贻久远，故名'营营'也。……以七百金建筑斯亭，俾风雨寒暑，行道者有所止憩，而夫人生平行善未竟之志，亦得以少慰。虽曰煦煦之仁，亦情爱不渝之证也。余维社会间汰侈成习，诚能节庆吊娱乐无益之浪费，举皆捐之公益，其有俾于民生，岂有限量耶！则区区兹亭，特一嚆矢耳！"

羔羊亭，在羔羊村。《（嘉庆）石门县志》载："羔羊亭井，在县北十里，有石亭。案，井栏有'羔羊渡茶亭井'六字。"

彰宪亭，明万历间建，位于石门镇南市观音堂侧。亭中竖一石碑，上镌贺灿然所撰《石门镇彰宪亭碑记》。

还金亭，在濮院镇北。沈涛《幽湖百咏》："细雨如沙渺远汀，杨家泾接百华泾。还金亭识张摇渡，桑叶如云驿路青。"诗下有注："杨家泾、百花泾，地名，在镇北。张摇渡，运河一渡口，张姓渡工拾金不昧，人筑还金亭纪念。"

妙智亭，位于濮院镇永乐村大船浜。

正家笕亭，位于濮院镇新濮村。

杨家笕亭，位于濮院镇新濮村。

九里亭，位于乌镇（原民合乡）浙月村。河对岸即江苏吴江县（今苏州市吴江区）。旧时此处有船摆渡，2005年撤渡。

运河古渡

横跨运河的大桥建造之前，渡船曾是两岸交通的主要工具。手摇摆渡船载客往返，风雨无阻，古风余韵，惹人流连。即便运河塘上陆续建起十八座大桥，依然未能解决所有河段之过河交通，福严渡、茅家渡等渡口仍然一人一舟一橹，往返渡客，有着桥梁无法替代的功用。明《（万历）崇德县志》就载有县治南三里的南津渡、朔义门外的北门渡、六里铺前的六里渡等三处渡口。直至二十一世纪初，渡口的历史使命才结束。检点旧籍，又汲取民间资料，得塘河渡口凡十余处。

大麻渡，位于大麻镇永丰村。1994年撤渡。

南津渡，清《（嘉庆）石门县志》："在县南三里。"明崇德县知县朱润《语溪十二咏·南津客帆》："落日南津渡，停桡两岸多。炊烟迷野市，灯影入澄波。风静殊方语，月明子夜歌。驱人名与利，都向此间过。"

北门渡，清《（嘉庆）石门县志》："在北门外。"

六里渡，清《（嘉庆）石门县志》："在六里铺前。"

羔羊渡，清《（嘉庆）石门县志》："在县北九里，有茶亭一所。"

太公渡，位于凤鸣街道合星村。1992年撤渡。

福严渡，位于凤鸣街道合星村。1997年撤渡。清《（嘉庆）石门县志》："在羔羊渡北，旧观音堂犹存。"

石门渡，清《（嘉庆）石门县志》："在县北十九里。"

大王渡，位于乌镇（原龙翔街道）大王村。2001年撤渡。

钱店渡，在皂林西七里，又称单桥渡。1988年撤渡。清《（嘉庆）石门县志》："在玉溪镇东十里，旧有桥，今圮。"

秀溪渡，在秀溪桥西，原名皂林渡。清《光绪桐乡县志》：茅家渡、秀溪渡"在宋时为官渡，岁课净利。元明以来始行革除"。

茅家渡，位于乌镇（原龙翔街道）南王村。1998年撤渡。清《光绪桐乡县志》："在皂林塘东四里。"清代石门湾方鹤仙《桐乡四时棹歌》即有诗写茅家渡："鸦乱隋堤万柳枯，空林隐隐露村墟。西风水落茅家渡，争买团脐作蟹胥。"隋堤，即运河塘。茅家渡在县东北十三里，蟹甚肥。

桐乡境内最后一个运河渡口——九里亭渡口 / 徐建荣摄

永兴渡，位于濮院镇（原新生乡）永乐村。1999年撤渡。

妙智渡，位于濮院镇（原新生乡），在妙智寺前，皂林往东二十里。2000年撤渡。

九里亭渡口，位于烂溪塘。渡口东岸现为乌镇镇浙月村，与乌镇相距九里，塘西岸纤路旁建有凉亭，故名。河对岸即江苏吴江桃源镇九里桥村。2005年4月29日，渡工张官林父子摆了桐乡境内最后一渡，《浙江日报》记者徐斌有幸成为最后一名渡客。

十八虹梁跨官塘

　　江南水乡，河道纵横，港湾密布，百姓日常出行，无一不是仰赖津梁船渡。千百年来，架设在大河小港上的各式桥梁，何止千百座。其结构、造型、石雕千姿百态，精彩纷呈。每一座古桥，除长度、宽度、高度等基本要素以外，还蕴含历史渊源、地理方位、桥名演变、桥联诗文、民间传说等多方面内容。年复一年，它们安然静卧在天地之间，历经风雨于旷野之中，多彩多姿的桥文化因此滋生潜长。桥文化发展于隋，兴盛于宋，往后则更为繁荣，反映了一定历史时期的社会文化和价值取向。时至今日，桥文化研究已经成为江南地域文化研究的一个重要分支。在世人的心目中，那些存世久远的古桥，不仅是连接江河两岸的载体，更是一种高超的建筑艺术，一种唯美的人文景观，一种深邃的文化思维。于是乎，无分冬夏，无论晨昏，世人皆热衷于诵读这历史文化的宏大叙事，从中感受一方水土的独特风韵……

　　隋大业六年（610），隋炀帝开凿江南运河，自京口而下，经苏州、吴江、嘉兴、皂林、石门、崇德后折弯南行，过长安，经临平，直至杭州，一线贯通。

　　运河官塘上的一座座跨塘桥，虹梁飞架，石拱穹然，千古遗韵，影响及今。这无疑是桥文化中一道十分靓丽的风景。历数运河桐乡段，前前后后共建造了十八座石桥，其中大多是拱桥。旧时风景，往昔文物，每一座古桥都是一座丰碑。数据固然冷峻、沉默，却是最雄辩的证明，足以让民族自信和文化自豪瞬间填满人们的胸臆。

大约在二十世纪七十年代以后，或由于河道的疏拓，或因为年岁久远，自然的伟力，导致众多石拱桥次第坍损，被陆续拆除。如今，唯有司马高桥硕果仅存。

古桥拆除之后，大多新建了能通汽车的水泥公路桥，天堑变成了通途，但昔日单孔石拱桥巨石勾连、横跨运河的那种雄姿和魅力，千百年历经沧桑、任凭风雨剥蚀的伟岸身影，以及它蕴含的丰富历史和文化，则消失得无影无踪了。

桐乡的隋唐运河故道上，历代兴建的石拱桥有便民桥、青云桥、钱店渡桥、东高桥、南高桥、拱宸桥、迎恩桥、永安桥（北桥）、万岁桥、包角堰桥、吾嘉桥、登云桥等十二座。

运河从嘉兴流入桐乡，官塘上最先映入眼帘的，便是便民桥与青云桥。但见双桥并峙，雄姿英发，高踞运河之上，俗称皂林双桥，也称姐妹双桥。清太学生李西铭有《双桥晚泊》诗咏两桥并峙的景象："扁舟向晚泊，缆系柳月中。一棹春波绿，双桥夕照红。人家依断岸，商舶趁长风。遥睇鸳鸯水，苍茫烟树东。"

便民桥，即皂林双桥之东桥。桥长63米，南北各50级石阶，两侧施石栏，桥顶望柱雕石狮两对。吴昂《便民桥记》记载，明宣德间周忱巡抚浙西，以兴利革害为己任，见此处运河上无桥，两岸居民往来不便，于是筹集款项，架木为桥，方便民众，便民桥之名由此而来。岁月流逝，斯人老去，桥木亦渐渐朽坏，几成危桥，人不能行，行者叹嗟！天顺改元之冬，通判郡事临川邓镛督赋桐乡，来到皂林，见而揪心。于是易木为石，作久远之图。从此南来北往，皆得顺利无阻。

皂林双桥 / 李渭钫摄

修桥之余，又利用多余的财力物力，在桥侧修建小屋，方便行路者休憩。清末始加设石栏。桥两边的柱石上，俱刻有桥联。东侧桥联早废，仅存西侧桥联云："雁齿双排，天际夕阳斜飞鸟；虹腰对峙，夜深灯火看行船。"

登临桥顶，纵目远眺，南面可以望见碳石东山上的智标塔；北面可见青镇寿圣塔。形胜之地，盛名不衰。

青云桥，即皂林双桥之西桥，与东桥距离约500米，原名昌文桥，始建于明天启四年（1624），阅三年而竣工。周拱辰有《重修皂林昌文桥碑记》。太平天国军占领桐乡县城期间，在皂林筑有石垒，双桥上皆砌砖门，桥渐倾圮。太平天国运动后，邑绅严辰请求嘉兴知府许瑶光拨款重建，并加筑石栏。许瑶光同意并题桥联云："雁齿入秋高，北去好携青镇月；鸡声催夜晓，东来更踏皂林霜。"

清嘉庆初，程鹏程纂修《桐溪纪略》，将"双桥帆影"列入"桐乡八景"。严辰修《光绪桐乡县志》，"桐乡八景"中有"双桥凭吊"，并题五律一首："东西驾双桥，南北见两塔。桥下古战场，行人勿轻踏。一将十八裨，庙祀申褒答。至今霜月夜，云旗犹飒飒。"

比肩而立、形影不离的两座石拱桥，牵动了众多远方游子的乡愁。晚清时，邑人、曾任京师大学堂总监的劳乃宣的诗中反复写到双桥，借以宣泄久藏心中的乡关之思。

　　果摇双桨过双桥，乡树溟蒙望里遥。
　　稚子候门多不识，门前流水尚迢迢。

　　故人中道双鸡招，话到家山梦共遥。
　　入耳乡音口乡味，恍摇双桨过双桥。

诗下注特别提到：同乡刘农伯、沈宜孙诸君留餐，宿于长辛店。双桥，吾乡孔道也。

清人章瑛亦有《双桥帆影》诗：

> 塘跨双虹影，轻帆南北通。来随千里月，去趁一帆风。
> 掩映长林外，翻飞碧浪中。渡头频指顾，片片熨霞红。

这里是桐乡与乌镇间的交通咽喉。人们上桥下桥，将桥石无数次地踩踏；船来船往，一艘接一艘地从桥洞中穿梭而过。这一幕，数百年来，无日不在重演。每睹此景，心头时常会升起一股莫名的沧桑之感，且让你浮想联翩，不能自已。

二十世纪七八十年代，摄影家李渭钫、徐建荣等都给双桥留下过倩影。夕阳下，双桥帆影，雄浑天成；桥底下，碧波轻漾，船队远去。整个画面浑然一体，笼罩在一片浓得化不开的诗情画意中。

与双桥同处一地，形成两纵一横绝美几何图案的，还有塘路上的秀溪桥。

秀溪桥，一作绣溪桥，又名三里桥，在皂林塘，北通炉头、乌镇。桥下，便是沟通大运河和烂溪塘的金牛塘。这里也是明宗礼将军抗倭殉节处。桥在明永乐十三年（1415）重建。入清，康熙十七年（1678）、乾隆四十八年（1783）两次重建。太平天国运动时遭毁，同治十年（1871），邑人徐之林捐资重建。桥柱有严辰题联："吴越据通津，阅尽乘风名利客；霍宗遗故垒，占来临水钓游人。"周拱辰曾撰《绣溪桥吊宗将军赋并序》。汪绍昌有《绣溪桥吊宗将军》诗：

> 孤城四望起烽烟，万户谁人解倒悬？

岂料中丞专阃外，何堪猛士死桥边。

朝中竟少冯唐荐，地下惟应李广怜。

日炙雨淋空庙貌，偶来凭吊一凄然。

"古戍绣溪渡，夕阳钱店桥。十年江上别，细柳已长条。"（严光禄《舟过石门》）从双桥西行约九里，即是钱店渡桥，又名万年高桥，俗称单桥。它的位置，正好在石门湾与皂林中间，旧时桥之南，是崇德（清代称石门县）地界；桥之北，便属桐乡地界了。桥建于明嘉靖间，清乾隆时重建，嘉庆二十三年（1818），道士徐铁箫劝募重建，改名万年高桥。清《光绪桐乡县志》载："钱店渡在皂林西七里。""万年高桥即钱店渡桥，亦跨桐石两界。明嘉靖间建。国朝乾隆间重建，寻圮。嘉庆二十三年，道士徐铁箫劝募重建，改今名。"相传徐铁箫建桥以后，募集的资金尚余若干，于是在桥南建一道观，名三官堂。此桥在抗战期间受损，1956年重建。1983年运河拓宽，石拱桥被拆除，1985年新建钢筋混凝土桁架拱桥。往时，钱店渡桥边上，向来是乡人出会的聚散地。每届会期，人山人海，水泄不通。

运河流至石门镇区，又是一番别样景象："玉溪如带锁双桥，隐隐楼台风度箫。西竺庵前观夜市，红灯一点酒旗飘。"这双桥，便是指明代中叶先后建造的东高桥、南高桥。两桥分踞镇区两端，百年而下，默默守望着身下的石门湾。

东高桥（又名东皋桥），位于石门镇东市。明成化中钱浩建。南坡石阶36级，北坡石阶34级，桥高9.3米，阔4.7米，桥左右两侧石柱上的桥联"径玉溪入苏境东折，接苕水自天目西来"，点明了大运河的流向与渊源。曾任右都御史、两广总督的里人潘蕃撰有《东高桥记》。此《记》追溯历史，表彰钱氏，是一篇重要的乡邦文献。

桐乡、崇德两县分设时，桥跨桐崇两界。南堍崇界，北堍桐界。清顺治二年（1645）重建。太平天国运动时遭毁，同治十年（1871）里人沈保寿募资重建。东高桥高峻雄伟，石拱邃然，桅高八九米的船亦可扬帆而过。1972年疏浚运河石门段时被拆除。

南高桥，位于石门镇区西端。西坡石阶34级，东坡石阶31级，桥高10米，阔4米，桥栏两侧各有石狮八只，栩栩如生。桥建于明嘉靖二年（1523）。清康熙四十七年（1708），里人吴惟楷、周镐募资重建。同治三年（1864）兵毁，十一年（1872）海昌张品三倡捐重建。桥的一侧有联云："接三条渚水南来，曲抱溪流情似玉；望一点含山西峙，遥看塔影小于针。"1972年运河石门段拓浚，石拱桥被拆除，在其北30米建单孔双曲砼拱大桥。

拱宸桥，俗名北三里桥，位于崇福镇区北门外三里，明天顺六年（1462）建。当初的北三里桥，直亘于塘，而非横跨于塘河之上。嘉靖时吕希周建议筑堰于桥南，让运河改道，从松老高桥东北偏经此桥而出，故拟将桥增高，之后未能如愿，于是在桥外建分水墩以分导水流。万历间，因为桥峻不便行者，僧如彩具呈改建，后圮。清乾隆三十九年（1774）僧杰堂募资重建。极有可能是此次重建时，将它改成跨塘大桥的。同治三年（1864）兵毁。光绪二年（1876），知县余丽元重建，改名拱宸桥。桥顶面有长方形平台，两旁石栏自顶而下，桥底龙门石下有刻花；东西各有32级石阶；桥洞西侧有石纤塘，来往船只可在桥下过纤。1999年运河拓宽时拆除旧桥，改建新桥。

迎恩桥，位于朔义门外，即今崇福镇城北，北沙渚塘出口处。明正统年间建，后改建为木桥。隆庆初复建石桥。崇祯间和清乾隆十四年（1749）两度重建。此桥为东西走向，桥顶面有长方形平台，中间嵌有正方形龙门石雕花，两侧自顶至堍各有二尺高石栏。东西各有石阶29级，顶面南北两侧桥栏正中各有石额，镌"迎恩桥"三字。南北皆有桥联，惜被风化，字迹已漫漶难辨。1971年疏拓运河故道时拆除拱桥，新建砼桥，更名人民大桥，跨径50米，宽度4.5米。

旧时有迎恩渡，相传是宋高宗赵构时遗迹。它的具体位置已不可考，有人说就在迎恩桥一侧，桥名抑缘此而来？

民间传闻，当年屈打成招、受尽酷刑的杨乃武与小白菜被押解进京，船走大运河过境时，北郊乡农纷纷涌到迎恩桥上观看。只见杨乃武、小白菜二人身穿紫红色囚衣，坐在敞开的船舱里，头发高耸。清代，人们都留长发，梳辫子，犯人却不准梳辫子，头发必须散开。押解官为防止杨乃武和小白菜用散开的长发勒颈自杀，便将二人头发用生漆撸高。此为清朝"四大疑案"之一，迎恩桥何其有"幸"，见证了这旷世奇冤的惨痛一幕。

崇福镇区，有唐宋时的两座古桥，静卧在隋唐运河故道上。悠悠岁月，它们像两位饱经风霜的老者，惯看了秋月春风，阅尽了人间冷暖。

北桥，旧称永安桥。南宋绍兴四年（1134），在万岁桥北三百步处建永安桥，俗呼北桥。明正德中知县洪异重建。万历间圮，后修建时将桥柱降低数尺。清康熙十年（1671）知县杜森重建。乾隆四十三年（1778），里人募集资金重修。咸丰十一年（1861）毁，光绪初重建。1971年疏拓运河故道时拆除旧桥，改建新桥，跨径50米，宽度6.5米。2006年再次拆除重建。现桥跨径50米，宽度18.6米。

万岁桥，据传为唐开国功臣尉迟敬德行马江南时所建，俗称南桥。宋嘉定十四年（1221）重建。明《（万历）崇德县志》载："万岁桥在县南一百步，唐尉迟敬德建，宋嘉定中徐令起宗重建。今西堍毁，靳一派捐俸重修。"清乾隆间桥圮，二十二年（1757）里人胡圣麟募资重建。咸丰十一年（1861）毁。同治九年（1870）重修。明嘉靖隆庆

位于崇福镇区隋唐运河故道上的万岁桥，初建于唐，重修于宋。
岁月悠悠，惯看了春风秋月，阅尽了河上千帆 / 汤闻飞摄

间，崇德县知县朱润在《语溪八咏》中有《市水垂虹》诗咏万岁桥：

利涉经何代，开唐此建工。倚天垂蝴蛛，跨水卧虺龙。
万岁传名古，千春飞构雄。于今人颂德，感仰尉迟功。

万岁桥与永安桥虽然都是梁式石桥，但高峻雄伟，气势慑人。南宋孝宗的官船经过，也无须落帆，素有"邑市双虹"之美誉。隋唐运河故道上，有着千年历史的这两座仅见的梁式石桥，于1971年疏浚市河、"三弯截直"时被双双拆除。

往时，通往崇福南门长安塘处，有包角堰桥、吾嘉桥、登云桥。三桥并峙，呈三足鼎立状。虹桥架空，如砥斯平；石势参差，规模壮阔。

宋代，崇德县城之南有支河通海上，于是筑堰塞河，拱卫邑城，名包角堰。堰高一丈四尺，广七丈，长四十余丈。堰的南北两面，俱临官塘。称"包角堰"，意为"包固东南一角之风气"也。

宋嘉定十三年（1220），建桥于堰侧，名包角堰桥，俗称南三里桥。其位置在今崇福镇南门外崇长港与大麻塘丁字形交汇处（西侧）。初为平桥，宋理宗宝庆间始易平桥为拱桥。两端石阶各30级，顶面有长方形平台，自下而上两旁沿边各有二尺高石质保护墙。

宋宝庆二年（1226），莫若冲撰《桥道记》谓"近邑有包角堰桥，塘西东水出入其下，连雨则湍急，址为之荡啮，屡敬而屡修。有清坡道民余智超、姚富率其徒衰金辇石，易以卷篷之势，可久而不坏，成于庚辰冬十月"。从中可知，包角堰桥之建，当时已是格外重要的水利工程了。

宋末，元军攻城略地，堰毁于兵火。明嘉靖间，崇德又遭倭寇之祸，总督胡宗宪亲自到此察看地形，加固堰基，并在堰边建敌台二座，互相守望。陈善《复包角堰记》、李养均《重修包角堰记》对此都有详尽记述。

明正统六年（1441）、清康熙六年（1667）、清乾隆五十七年（1792），包角堰桥数次重建。康熙六年重修时，桥身特增高三尺有奇，以利于通航。庠生夏方昊负责修桥事宜，并在修竣后特撰《重建包角堰桥记》，文中有"箫鼓楼船，鳞集水滨，舆马负贩，联翩道路，斯桥为南北要津"等语。道光十七年（1837），知县邓廷彩主持重建，故又名邓父桥，时有《邓父桥碑记》，署嘉兴府知府王凤生撰文、石门县训导褚运鲲书丹。光绪二年（1876）桥又重建，东西两侧桥洞之上各有石额两块，楷书"包角堰桥"。1954年，拆通包角堰；1971年疏拓运河古道时，拆除包角堰桥。

包角堰桥旁昔时有龙吟寺，与北三里桥旁侧分水墩之虎啸寺遥相呼应。

何家桥，明弘治间王璋重建，清康熙末年桥圮。雍正间，知县吕廷铸劝输兴复，更名吾嘉桥。乾隆六十年（1795）重修。吕廷铸有《重建吾嘉桥记》，谓"城之南为运河，上溯省会，下达郡城。其东岸水口有桥锁钥，旧名'何家'者是"。何家桥下，正是崇德绕城运河与长安塘衔接之处，不仅本邑所有南北往来之舟楫皆走此水道，而且是海宁漕艘北上途中必须经过的咽喉之地。

登云桥，其址亦在包角堰。南通海宁长安镇。明万历间，知县蔡贵易创建。清康熙十年（1672），沈士龙捐资重建。同治三年（1864）兵毁，光绪二年（1876）重建。嘉兴知府许瑶光撰《修桥碑记》，称"石门自玉溪镇之南皋桥至城北之迎恩桥止，内修补者九桥，拆建者一桥。其由东门绕河而南，自青阳桥至德清界之安乐桥止，内修补者十一桥，拆建者四桥。……并填补塘路之陉缺。是役也，或踵旧基，或累新块，扶倾而正，易陂而平。捞沉石于江而舟行不滞，跨环洞于港而安步可徒。无滥费，无减工，无俭材，无稽日。大府赞其贤，居民歌其德，行旅颂于野，邮传速于郊"。登云桥往南，已是与海宁县的交界处。

无论是吕廷铸，还是许瑶光，抑或余丽元等，都称得上那个时代的廉吏、能吏。他们在知县、知府任上，扎扎实实办成了几桩实事，为百姓做了不少好事。"为官一任，造福一方。"他们不遗余力地践行着这一信条，修桥铺路便是最有说服力的举措之一。

> 据《（咸淳）临安志》载，南宋时，自杭州经武林头、塘栖、博陆，至于崇德的下塘河已经开挖通航。元末，张士诚又开浚自武林头至杭州北新桥河段，南又至江涨桥河段，与塘栖、博陆、大麻、崇德间的河道连通。沿下塘河，桐乡境内有大通新桥、彭河桥、松老高桥、望仙高桥等四座拱桥。

大通新桥，位于崇福镇西南新桥村（原崇德丝厂旁），又名大德新桥。明宣德间沈璘创建。后数度重建。桥长32.5米，南北各27级石阶。东侧桥联云："归路出城南，百里水程窥省会；虹梁跨塘北，重题柱石仿彭河。"西侧桥联云："来往鹳纷飞，上下两河分轨道；长空鼍稳驾，西南一路达康庄。"

彭河桥，位于崇福镇沈家村。明成化九年（1473）沈丞让重建。后屡圮屡修。清嘉庆十八年（1813）知县熊锡鹏劝输重修。1998年改建。现桥跨径34.7米，宽2.5米，通航标高8.5米。清嘉庆时，里人吴曾贯有《语溪棹歌》吟彭河桥："小雪初过大雪天，彭河新到马塍船。阿侬剩有宣窑碗，好向篮中买水仙。"

松老高桥，始建于宋代。明弘治九年（1496）徐华重建。清嘉庆五年（1800）知县方维翰重建。《（光绪）嘉兴府志》卷五引《青镂杂笔》载："浙西之水，发源天目，由塘栖东流入槜李，经邑境五里许，有桥跨其上，曰'松老'。相传昔有老人于此舣舟作渡，几五十年。所取渡值，铢积寸累，遂建此桥。后老人化为松，桥因以名。"

明末清初，杭州人金堡在《重修松老桥疏》（载《遍行堂续集》卷五）中提到了桥名来历的另一个说法："按石门旧志，横跨于塘之桥十有一，首列松老，盖弘治间徐华所独建。华于是役鬻田五百亩，乃克竣工，岂非素封而好行其德者！其称'松老'，疑亦即字而名之。越六十年告圮。隆庆初，朱令公重建又百余年矣……"读此《疏》，则知"松老"之名，历来都有异说。年代久远，史实已难于厘清。而"铢积建桥"，显然只是一个迎合社会大众心理且美丽动听的故事，舣舟作渡的老人当然不会真有其人，即便《青镂杂笔》也仅仅是说"相传"。但在世人心目中，这个古老的传说却是对松老桥最感人的记忆，人们宁愿信其有，不愿信其无。老人佝偻的身影，蹒跚的步履，早已融入桥名的故事里，当然也融进了历经岁月积淀的世俗文化中。

松老高桥原为单孔石拱桥，桥长41米，宽3.9米，净跨14米。南北各36级石阶，两侧施石栏，桥顶望柱雕石狮两对。桥柱有联，东侧桥联为："醉李乘帆风，戏水鸳鸯分福禄；高松延镜月，冲霄鹳鹤会飞来。"西侧桥联为："五百年日往月来，修建相目，自光绪以溯宏治；九十里风平浪静，艰难克济，由德清而达仁和。"1995年12月拆除，改建为钢梁水泥桥。

"松老"的桥名，在历代文人笔下，或多或少还能找到一些颇感亲切的文字，古桥的文化积淀因此而愈加深厚。

明代万历年间的嘉兴学者、藏书家冯梦桢在《快雪堂集》中曾记录该桥："二十二，晴……至松老桥，过小船，与超宗、季修别。鹓儿夫妇过吕宅，遣人送寿轴等礼……"冯梦桢之子冯鹓雏娶石门县吕焕之女，而此次正好途经松老桥。

清代乾隆南巡，沿运河经过石门县，松老桥乃必过的塘桥，桥名记录在了《钦定南巡盛典》中。同一时期的钱塘（今杭州市）人、曾任国子监祭酒的吴锡麒，在其《有正味斋日记》中写道："又二十里为石门县，绕郭而至松老桥，始望见杭州山色。"

不少诗人都曾为松老桥写照留影。

康熙间进士、平湖陆葇有《松老》诗："松老桥南远见山，谁家栏鸭浴晴湲。绿阴覆屋炊烟小，定有幽栖桑者闲。"乾隆五十三年（1788），举人梁履绳有《松老桥夜宿》诗，极写夜泊松老桥时的寂静清幽："月明松老桥，岸静无人迹。柏子结寒林，点点疏梅白。"嘉庆十六年（1811），进士李彦章曾赋《晚望》诗云："碧云半卷彩虹收，松老桥头水急流。但向石门城外望，青山一角露杭州。"诗人抵达松老桥，杭州山色在望的喜悦之情跃然纸上。嘉庆间进士、邑人吴曾贯《语溪棹歌》亦有写松老桥诗："漕艘千古集官塘，松老桥边夕照黄。正值顺风烧纸后，满头花朵柁楼娘。"江苏扬州著名学者焦循的《石门》诗也先从松老桥落笔："松老桥边春水痕，羔羊塘外晚烟昏。寒春二月春尤锁，十里枯桑过石门。"嘉庆间，桥石坍塌落入塘河，河道即被堵塞。满洲正白旗人、嘉兴知府伊汤安写诗纪实，诗前小序称："石门松老桥圮，石沉桥下。冬十月，余驻楫河干，偕县令鸠工捞石。天寒负重，悯役者之劳，而惭居者之逸，作《捞石谣》。"诗云："古桥多年忽倾圮，桥石半落长河底。长河舟楫不得过，利涉须将石捞起。府帖一纸下县中，县令见惯耳若聋。时维十月水就涸，我来桥畔鸠群工。长绹系石齐牵挽，连声听号何凄惨。岂知日久陷泥沙，百夫拽石石不转。石工林立集河岸，下视河水心胆颤。不惜金钱犒汝曹，只要水深五尺半。从来重赏有勇夫，蚩氓嗜利争奔趋。冷冷河水严冬日，手龟脚冻笑相呼。解衣跳河任游泳，铁锸掘石石不动。大石挽置河之干，小石抛掷不旋踵。深通河道无愆期，县令

大麻望仙高桥 / 徐寿龙摄

拍手乐难持。顾我身为一郡守，殊愧使民非其时。"

松老桥南连崇福镇东安村，北通大麻镇永丰村，地理位置十分重要。清《（嘉庆）石门县志》记载，桥边有士兵驻守，建有营房三间，又有炮台、烽火楼各一座。抗战期间，崇德沦陷后，日军在桥上建有炮台，常逼迫村民开壕沟，做苦力。

望仙高桥，位于大麻镇区北侧望仙桥村。清《（康熙）德清县志》载，望仙高桥"在大麻村北，因其地有麻姑仙迹，故名。弘治间重修，俗呼大麻高桥"。桥长32米，南北各有36级石阶，两侧施石栏，桥顶望柱雕石狮两对，一对弄球，一对戏子，顶端两侧置石椅可供路人坐憩。东侧桥联云："士庶乐捐输，干此鸠工尤不缓；东西资利济，当今鼍驾又重新。"西侧桥联云："雁齿接云衢，舟楫来麻溪之外；虹腰环水国，源流溯天目而还。"该桥始建年代无考。明成化三年（1467，一说弘治年间）里人沈本源募捐重建。清雍正间，朝廷拨款重建，先后任浙江总督的李卫、程元章分别撰《重建大麻望仙桥记》。咸丰十年（1860）毁于太平天国运动。光绪元年（1875），里人金枢、张祖圣等募资重建。但因工程量巨大，费用缺少，未能完成。光绪二年，杭州绅商、胡庆余堂创始人、江西补用道胡雪岩（光镛）捐钱一千千文，铺砌桥旁护栏石，望仙桥得以成功重建。1994年运河航道改造时拆除。

清人钱大昕《入德清县界，有桥曰望仙，喜其名与吾乡同，作诗纪之》云：

> 故园门对小桥开，顾浦西偏一水洄。
> 此地嘉名欣偶似，今宵乡梦若相催。
> 鱼梁蟹断分明见，桑叶菱丝次第栽。
> 怪得征人屡回首，便疑身已到家来。

还有叶名澧《望仙桥》诗云：

鸣蝉夹岸送行舟，亭午风轻雨意收。

耳畔波声仍醉里，树头山色是杭州。

桥梁宛转成谁手，云物苍茫续昔游。

踪迹平生愧鸥鹭，尘埃休令负吴钩。

这两首诗可称为吟咏望仙桥的千古绝唱，也使古桥更具人文色彩。

明嘉靖间，崇德吕希周别开一河，"直塘改作九弯兜"，此后运河绕崇德县东半城而行。运河上又新建青阳桥和司马高桥。

青阳桥，始建年代不详。清顺治初许汝扬增修，乾隆五十七年（1792）重建，同治三年（1864）毁，光绪二年（1876）知县余丽元重建。此桥为东西走向，桥顶有正方形平台，两侧均有二尺高石栏，东西各有石阶28级，桥顶两边皆镌楷书"青阳桥"三字。

桥在崇福青阳门外，故名。此地有青阳庵，晚清时，名士蔡锡琳曾在庵侧筑雨香室，以为会文讲学之所。名士雅集，时为文坛盛事。锡琳姐丈徐亚陶曾绘《雨香室雅集图》记其事。按图中所绘，雨香室的布局、周围建筑，以及青阳桥下风帆点点，皆奔涌眼底。

二十世纪三十年代，日军入侵崇德，在青阳桥上高筑炮台，桥栏及部分桥石被损。1982年拆除重建，跨径21米，宽度4米。2006年再次重建，现桥跨径21米，宽度18米。

运河塘上的石拱桥，大多已陆续坍损，或被拆除，唯司马高桥迄今犹岿然跨峙于明代运河故道的波光水色之上。此桥旧名南高桥，始建于明洪武年间，位于崇福镇皂林驿东，跨明代运河故道。南北各有石阶28级，顶面有方形平台，桥顶四方各立小石柱，柱端雕有小石狮两对，东西石栏高2尺，拱券石以纵联分节并列式砌置。东侧桥联云：

桐乡段运河塘上仅存的跨塘石拱桥——司马高桥 / 徐建荣摄

"碧浪驾舆梁，事隶夏官资共济；白栏依雉堞，情深秋水溯伊人。"
西侧仅存上联"司马赐嘉名，谁继长卿高风标题有兆"，下联已风化
不可辨认。

往昔曾有误传，称"司马高桥"之得名源于清光绪间知县余丽元
动用了兵部银两重修此桥。其实，早于光绪朝数百年，司马桥之名就
已经存在。明末海宁著名史学家、《国榷》的作者谈迁就有《司马桥
经吕通政旧居》诗，说明当时已有司马桥之名：

> 云鳞莽互动斜阳，有客追怀旧选郎。
> 水到兰亭流易曲，草迷金谷径全荒。
> 谁家富贵连东第，几处楼台隔北邙。
> 今日茅檐非旧燕，那知玳瑁玉为梁。

清乾隆年间，洲泉屠家坝人胡滢作《语溪棹歌》二十四首，遍写
邑中名迹胜概，其中也有诗写到司马高桥：

> 野棠花放日初曛，司马桥南水势分。
> 为爇头香萧阮庙，路人又指范山坟。

二十世纪七十年代初崇福市河疏浚之前，船舶经此地，必过此
桥。2003年，此桥被列为市级文物保护单位。2011年，此桥与崇德城
墙残址一起，成为第六批浙江省文物保护单位。

除十八座跨运河塘桥梁以外，长虹大溪（含山塘，俗称三洞环桥
港）系当年漕运的重要通道。横跨大溪的聚宝桥、万年桥均有独特的
建筑风格。

聚宝桥，俗称元宝桥、三洞环桥，位于洲泉镇义马村。该桥是桐乡境内唯——座三孔石拱桥。桥长约61米。始建年代无考，由乡绅里人出资修建，因两边石栏上嵌有四只石元宝而得名。清康熙年间重建三洞，称虎啸桥；雍正十一年（1733）再建；光绪时名永镇聚宝桥；1988年、2022年，桐乡县（市）人民政府两次重修此桥。

万年桥，一桥系两村：桥东马鸣村，桥西夜明村。始建于明永乐年间，明《（万历）崇德县志》有载；重建于清嘉庆二十三年（1818）。此桥为单孔石拱桥，拱券上方有阳刻楷书"万年桥"三字。桥长29米。桥身坚固，迄今无恙。二十世纪六十年代，两侧桥栏无端被推入河中，数十年后犹静卧于河底泥沙之中。

【链接一】

东高桥记
潘蕃

春秋时，吴越同壤而争，置石门为限。厥后沿革相寻，迄无宁宇。惟忠懿王钱氏奉土归宋，江南不识兵革。于是，石门战垒转为商贾薮，而民物蕃阜，穰穰熙熙，尤莫盛于我明。顾玉湾潆洄如带，南北洊遥隔，向未有杠梁也。行旅杂沓与担负而趋者，赵趑不前有日已！钱君克洪浩，故忠懿王裔也，倜傥慕义，慨然捐资，建高桥于市东，而运河使星络绎，藉令取道其中，何以鹜筑？钱君拮据图之，请舰躅暂出平望、五林，爰得鸠工焉，刻期且竣。会总宪杨公必欲经此，钱君聚族而谋，曰："不撤役，而碍舟乎？不可。舟不碍矣，役害成，且奈何？"遂于南洊别浚一河以通，四日而就。总宪舟过，廉得其状，旌钱君间曰

"尚义"。而行旅担负者幸钱君能卒此举也，薪勒诸石，志其德不朽，而请记于余。惟世不乏建桥者矣，要必惠徼官帑，或遍募佐之。如钱君独力创建，千百载艰阻，一朝利便，可多得耶！余读子瞻《表忠碑》，知钱氏为德于民甚厚，裔之居御儿者若侍郎昱、大夫文，咸著勋名。克洪君肇兴义举，俾前人之德再扬，真足声施不朽哉！抑余因是有感焉。石门自南宋行幄后，衣冠甲族则有张氏。当日东西园，醉花载月，风雅特闻。子孙以儒术显，世其家学，今何闲寥若斯？形家谓：堰既决水，东泻无潴使然；兹桥之建，奔流砥柱，倘亦可为人文振起者与？余喜里中之有钱君也，次第其事，为好义者劝云。成化庚子岁秋仲朔日。

【链接二】

王凤生（1777—1835），字竹屿，今江西婺源人，严辰的外祖父。他在浙江为官多年。道光初，署嘉兴知府。王之专长，主要在治水，称得上是有清一代最有声望的治水能臣。他一生南北驰驱，席不暇暖，哪里有水灾，哪里就有其身影。著有《浙西水利备考》等。署嘉兴知府时，撰有《重建包角堰桥记》：

石门，古御儿地也。北连长水，南接余杭，轮蹄之所历，舟楫之所经，孔道津梁，帆樯若荠。邑南有包角堰桥，建于宋，修于历朝，比年雁齿欹斜，虹腰倾侧，每值严寒积雪，滑笏冻涂，行者苦之。辛巳夏，西蜀邓君莅邑，善政如阳春有脚，善教如秋水无波。下车之始，即相度地利，睹斯桥就圮，慨然有病涉之伤。因捐廉请僚佐暨绅士之诚实者督司重建，不科派，不扰民。阅月功竣，都人士仍其旧名于桥之东，而颜其西曰"邓父"，纪君德也。

余维虽古循吏之称，有所谓"召父"者矣，有所谓"神父"者矣。夫父之于子也，衣之食之，教之诲之，恩勤鞠育，无所不至。君以明察之才，溥慈祥之化，复饬以勤慎之心，以故分膏课士，民劝学也；募丁缉奸，民安堵也。案无留牍，讼无遁情，不扰而事无枉也。呜呼！君之裨益，良不浅矣。由是废坠者举之，未兴者创之，政通人和。《诗》云："乐只君子，民之父母。"民于君有厚望焉。抑余闻之，十月成梁，古之君平政利民，良法具在，而斯桥观成，适在祀角之时，谙大体矣。从此南北驱驰，车徒利涉，歌君盛德，幸不独在都人士也，君其勉哉！余摄守斯邦，念勤简能，与有责焉。因绅耆之来请，特记其事以劝来者。

皂林驿

唐朝初年，在今石门镇设置驿站，称石门驿。元张翥有《次石门驿》诗："投老复行役，江湖秋兴悲。舣舟黄落处，欹枕黑甜时。燕闰归何晚，鸥晴浴故迟。不妨无事饮，聊遣有情痴。"乾隆南巡，曾驻跸石门湾营盘头，闻知此处早年曾设石门驿，也有诗吟道："午过石门驿，秋风吹广陌。广陌正西成，场圃地无隙。与与带秉禾，青青盈陇麦。最喜秋雨足，绿野含渥泽……"

南宋绍兴间，宋高宗因车驾往来，便将驿址改建为行幄殿，以为驻跸之处。同时将驿站迁至皂林，皂林驿因此得名。元有马驿、水驿。元《（至元）嘉禾志》卷八载，马驿，崇德县马一十二匹，马户一百一十四户。水驿，船三十只，船户三百户。至明代，设皂林驿丞一员，船八只，水夫八十名，馆夫十二名。

皂林驿站，正处运河要津，又是金牛塘到乌镇，衔接苏南、湖州等地的水路交通要隘，历来为舟车冲要之地。但在桐乡设县以前，这里只是一个荒凉的村落，民居星散。"自有县治以来，此为襟喉之地，民居夹于运河。……店肆蝉联，商槎猬集，俨然成一雄市。"（明《（正德）桐乡县志》卷一）每当薄暮，往来舟楫皆云集于此，

皂林驿站场景复原 / 桐乡博物馆供图

其中尤以漕运船只为多；运河两岸，商旅络绎，张灯夜市，一派兴盛景象。元萨天锡《皂林舟中》诗，渲染暮春时节的皂林胜概，被广为传诵："春溪野鸭肥可射，幽树深阴叫山鹧。远人三月酒船过，柳絮飞时杏花谢。行行水竹上云林，往往人家或僧舍。小官便欲赋归来，何处买山钱可借。"

然而，一场军阀之间争夺疆土的混战，足以令此地所有的繁华顷刻间灰飞烟灭。元明之际，皂林战事不绝。常遇春与张士诚的皂林一战，顾祖禹《读史方舆纪要》有载："明初攻湖州，张士诚遣兵趣救，常遇春击之于皂林，俘其兵六万。"元末明初，贝琼途经皂林，目睹战后萧条荒凉的景象，愈发感叹战争的残酷、生灵的不幸，因有《皂林驿》之吟："朝发白水村，夕次皂林驿。水腥无饮马，林黑有归鹝。昔时兵交地，白骨如山积。万灶今已夷，风亭焕新饰。居人尚星散，父老悲故迹。团团关山月，夜逐南征客。"本土人士的吟唱，吊古追昔，因而诗境越发显得沉郁苍凉。与贝琼《皂林驿》诗有相同基调的，是清人王鸿宇《晚泊皂林驿》诗："野鸭浮秋水，飞来傍客舠。夕阳明战垒，衰草遍官亭。鸟鹝归林疾，鱼波入夜腥。剧怜兵六万，磷火至今青。"后来，郑成功兵出此间，燔毁民房略尽，遂至一过为墟。

明宣德五年（1430），桐乡县从崇德县析出，皂林驿隶属桐乡县。嘉靖十二年（1533），巡方御史张景以驿站离嘉兴偏近，而距长安驿较远，于是将皂林驿移设崇德县城。初在永安桥东，嘉靖十五年，知县喻冲将其移至崇德南门外。虽然位置移动了数十里，但名称依然是"皂林驿"，它上接嘉兴西水驿，下接杭州长安驿，专供传递文书者和来往官吏住宿或补给。万历十三年（1585），崇德县知县孙承谟为之题写"吴越名津"匾额。清康熙十三年（1674），又在皂林添置腰站，设官马三十匹，马夫二十名。十九年，嘉兴府同知季舜有摄县事，重建驿站，竖碑纪念，并撰《石门县重建皂林驿碑记》，记述皂林驿之来历及变迁："嘉郡水路通衢，北接三吴，南通八闽，行李之往来络绎于道，故驿站之设，严于他方。皂林驿者，旧属桐乡之皂林镇。明嘉靖间，巡方御史奏置石门，今存其名。"

清嘉庆时，邑人吴曾贯《语溪棹歌》有诗写到皂林驿："街头拍手笑儿童，社鼓冬冬三月中。买得纸鸢何处去，皂林驿外一丝风。"此处所咏，显然是已经移建崇德南门外的皂林驿了。

清乾隆二十一年（1756），裁皂林驿丞缺，驿务归县管理。咸丰十年（1860），驿站毁于太平天国战事。同治三年（1864），建驿房十七间。光绪元年（1875），知县余丽元主持重修。晚清时邑人徐福谦作《皂林洗马》诗："古驿斜阳路欲迷，疏林一径散轻蹄。晚凉闲逐花骢去，为洗征尘傍柳溪。"

常常与皂林驿一并提及的，还有宗扬庙。两者不仅在地理位置上同处一地，更为重要的是，它们的历史文化内涵也是你中有我、我中有你。

明嘉靖三十五年（1556），倭寇犯境，徐海、陈东等引众寇攻乍浦，掠嘉兴、皂林，总督胡宗宪、巡抚阮鹗急命途经崇德的参将宗礼追击。宗部骁勇善战，一胜于崇德，再胜于石门，三战于皂林，斩获甚多。然因军情紧急，出战时仅携一日食粮，自崇德至皂林数十里，且战且追，竟日未举炊。明日再战于绣溪桥，将士皆有饥色。宗礼仍率众奋力拼杀。第三日，敌人分路夹击，众军士枵腹迎敌。内无粮草、外无援军，宗礼、霍贯道暨全体将士尽陷敌手，壮烈殉国。

嗣后，诏赠宗礼为都督同知。隆庆年间，敕建褒忠祠于绣溪桥侧，以从征死事者十五人配享。康熙六年（1667），将军裔孙来桐省墓，与邑人沈升调捐置祀产十七亩，后又被无良僧人盗卖几尽，仅存四亩，议归龙翔寺僧管理。后来，太平天国军攻占此地，褒忠祠毁损殆尽。沿塘渔户奉宗将军十分虔诚，于同治四年（1865）醵资修复，题名宗扬庙。民国四年（1915），里人邢元初募集香金，建造墓宇、戏台及租屋二十余间，至七年竣工。每年重九日，周边数十里之内，众香客云集于此。

宗礼将军及所部将士的忠肝义胆激励了无数仁人志士，凭吊、怀念的诗文辞章亦多有所见。

天启四年（1624），知县张廷志撰《宗都督碑记》，竭力表彰宗礼及其所部血战疆场、视死如归的忠义精神："将军奋勇而前，御寇于皂林市之三里桥，桐邑之襟喉也。……史载：'游击宗礼帅兵九百，御倭于皂林之三里桥，三覆贼兵，斩首四百余。兵兴以来，称血战第一功，赠礼都督同知，世袭指挥佥事。'"

长洲王穉登有《宗将军战场歌十首》。诗后有附注云："案《府志》，与礼同时死事者，尚有宋应澜、杨巨、王相、霍贯道、侯槐、何翔本、赖恩、李锡诸人，见《嘉禾征献录》。今从祀忠壮祠者，只霍、侯二人。《县志》亦失载。"

祖上世居皂林，后迁徙至青镇的周拱辰苦读成才，后世评价其人"才藻艳发，名噪一时"，他对百余年前发生在故乡土地上的这一场彪炳史册的血战感慨尤深，所著《圣雨斋诗余》卷四有《金人捧露盘》一阕，礼赞宗礼将军及其所部的民族气节：

　　　杀声驰，城橹近，竞徉聋。三日夜、拥饥血战，头颅拚掷吼霓虹。春兰秋菊，招魂也、锡酒三钟。　　铁矛兜，枫血喋；金锁甲，蛞丝缝。青磷簇鬼马苔封。手提一剑，还嗔饥卒哭西风。榆钱满、拾来买饭，再杀倭凶！

里人陈沄的《冶塘棹歌》中也有两章直抒宗将军殉国给作者带来

宗扬庙 / 潘海扬绘

的心头之痛：

"浮图掩骼类荒丘，战士枯骸痛未收。都督吞倭遗恨在，忠魂夜夜哭溪头。"诗下注曰：倭寇皂林时，里人建塔瘗被伤尸骨。宗将军战殁，立庙绣溪桥。

"野花寒食正芳菲，上冢人归踏落晖。叹息霍将军墓冷，年年不见纸灰飞。"诗下注曰：霍将军同时战殁，葬宗将军后。

百年之后，战争的硝烟散尽，皂林又成为稻壮麦秀、榴红艾碧的江南佳丽地，以及文人墨客的游宴之所。

康熙年间，桐乡城里有名的藏书家、裘杼楼主人汪森弟兄曾与朋友一起在端午日游皂林，有《蓦山溪·午日，同俞犀月、舍弟季青泛舟皂林》一阕为证：

蒲觞令节，共拟闲游好。摇曳木兰舟，趁片霎，招提寻到。榴红艾碧，随意插篷窗，官亭小。女墙低，郭外人家少。　　青娥劝歌，只解双眸俏。试著接篱归，拌既醉，何妨也倒。沙头乳鸭，占断柳阴眠，风骤起，雨斜时，十里渔歌杳。

海盐张燕昌也将皂林新景写到了他的棹歌（《续鸳鸯湖棹歌》）里：

皂林渡口渡船齐，青镇东来官路西。
两岸稻花香不绝，桔槔声里过车溪。

皂林地处要津，除了驿站，又设巡检司。元《（至元）嘉禾志》记载，昔时崇德县境内设有三处巡检司，其一便在皂林。又《（康熙）桐乡县志》记载："皂林巡检司署，在皂林镇运河北岸。宋初有皂林寨，在石门县市南。建炎四年（1130），移建皂林镇。明宣德五年（1430），分属桐乡，兼巡石门。弓兵色役，两县给之。弘治十三年（1500），知县王昊、巡检阴连建造廨宇。正德九年（1514）重修。今废。”

永乐铺

驿站以供夫马，铺舍以递文书。驿站与铺舍，两者分工不同，区别甚是明显。铺舍，最早出现于宋代，俗称“急脚递”（快速军邮制）。神宗熙宁时，更名“急递铺”。究其实质，乃古代之“快递业务”。按当时规制，一般十里或十五里，甚至二十五里设一铺；每铺设铺司一人，铺兵四五人至十人。凡遇官府公文至，即行递送，不分昼夜，风雨无阻。驿站能到之处，它能到；驿站到不了的地方，它也能到。明代之后，急递铺还为一般士商行旅提供食宿。

运河塘北岸永乐铺，历史比皂林驿更早，北宋时就已设置。苏东坡当年在杭州通判任上，于熙宁五年（1072）、六年、七年三过陡门报本禅院访文长老。最后一次来时，文长老已圆寂。坡公分别有《秀州报本禅院乡僧文长老方丈》《夜至永乐文长老院，文时卧病退院》《过永乐文长老已卒》三诗咏其事，诗题中特别提到了永乐，留下一段千古佳话，也成为后世文人讨论的话题。若干年后，报本禅院在堂中立一石碑，刻苏诗于其上。

嘉兴陈廷炜，康熙四十五年（1706）进士，曾官建平县知县，某日船行经过陡门，因慕三过堂雅名，便停舟寻访，有七绝诗记坡公与文长老当年事：“三过堂西接石门，绿荫深处古祇园。苏公千载堪同调，留与清吟问凤根。”

朱彝尊《鸳鸯湖棹歌》之八十七“桑边禾黍水重围，时有秋虫上客衣。三过堂东开夕阳，满村黄叶一僧归”一诗，吟咏的依然是苏子瞻当年遗迹。

晚清时，濮院沈廷瑞《东畲杂记》也有笔墨记此逸闻："今堂中有坡公肖像存。壁中所嵌碑石，即坡公所题诗也。有一石甚灵异，外塘风帆经过，其影隐隐现于碑上，人谓之'影帆石'。堂后丛篁蔽天，则空翠亭在焉。亭边有井，则'苏泉'也。门前夹道松林，稻田鳞接，真如山中景象。"

坡公三过报本禅院，今人濮院王立又撰《一弹指顷去来今——苏东坡与文长老的因缘》一文记其事，该文获第五届伯鸿书香奖阅读奖。

两宋之间，诸多名流硕儒往来于运河之上，他们的行踪，颇被后人关注。周必大、楼钥、郑刚中诸人的日记中，永乐铺之名也常有提及。

乾道八年（1172），周必大南行途中，再次走运河经过崇德。《南归录》中提到他曾在永乐铺过夜。

明州鄞县（今浙江宁波）人楼钥在乾道五年（1069）以书状官身份随舅父汪大猷使金，以所记行程见闻写成《北行日录》：

> （十一月）十一日癸亥。晴。饭时过长河九十里。遣第六书发周德归。午过崇德，苏彭年来迓。水缩舟胶，牵挽寸进。更初，遇士颖弟于官窑。
>
> 十二日甲子。晴。饭时过永乐，行二十七里，至秀州。

虽然宋人日记中屡次提及，然而历代地方志中却从未见到"永乐铺"三字。《光绪桐乡县志》有"永新铺"，并特别载明"在运河塘北，到县二十里"。考永乐铺就在原永新乡，这永新铺莫非就是永乐铺名称的演变？

南宋淳祐间纂就的《语溪志》，有"石门、钱店、皂林、官窑、上窑"五铺。

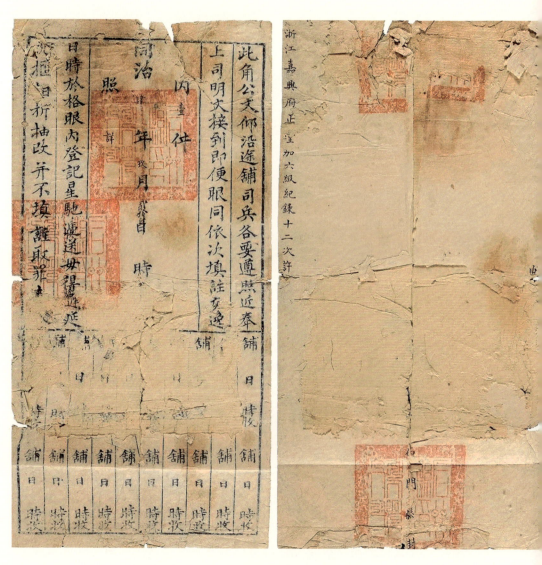

此角公文仰沿途舖司兵各遵照近奉
上司明文接到即便眼同依次填註交遞
日時於格眼內登記星馳遞送毋得逗延
收攬日折抽改并不填註取罪非輕

同治　　　　　　　　年　　月　　日　時

照
內　壹件

詳

浙江嘉興府正堂加六級紀錄十二次許

石門縣封

清同治四年（1865）石門县铺递公文 / 朱学加藏，胡良中供图

元《（至元）嘉禾志》载崇德县有急递铺六处：官窑铺，西接皂林铺九里。皂林铺，西接钱店铺九里。钱店铺，西接石门铺九里。石门铺，西接羔羊铺九里。羔羊铺，西接县北铺九里。县北铺，西接杭州路盐官县长安镇七里，镇铺九里。

这两部本地最早的方志里，都有"官窑铺"之名。其实楼钥也提到了"官窑"。《濮院琐志》又有"自万寿山至皂林，皆呼濮家塘。沿塘堆阜，正当日垒窑烧砖处"的记载。于此似可明白，官窑当年曾设铺舍，后世又作为一个地名，其位置正在濮家塘上。而濮家塘所在，正是当年嘉兴、桐乡的交界处，属永新乡。

递铺的设置，嗣后多有变化。

清《（嘉庆）石门县志》卷七载："铺舍，宋制，以军士充铺兵。绍兴间仿斥堠法，立摆铺在县境者，市北、羔羊、石门、钱店、皂林、官窑、上窑，凡七铺。元六铺，官窑、皂林、钱店、石门、羔羊、县北。每铺置铺兵五名。明四铺：县前、南津、上莫、邵泾，每铺设铺司一名，铺兵六名。国朝急递铺四：县前铺，在县治东十步。南津铺，在县南四里（邝《志》：'南至海宁县界骆家铺十里。'）。上莫铺，在县北六里（邝《志》：'北至邵泾铺十里。'）。邵泾铺，在县一十六里（邝《志》：'东北至桐乡西蒋铺十里。'）。"

《光绪桐乡县志》则谓其时桐乡境内有县前总铺，在服德街。明宣德五年（1431），设正房三间，廊房六间，邮亭、门道各一座。另有皂林铺、永新铺、西蒋铺，"以上三铺，宣德五年自崇德县拨隶本县，每铺邮亭、屋宇，与县前铺同。俱正德八年重造，司兵额亦同"。又有乌镇铺，在县西北三十里。

徽商笔下石门湾

婺源县，原为安徽省徽州府所辖六县之一，直到1934年，才将它划归江西。尔后分别在1947年和1949年又有过一次反复。1949年迄今，一直划入江西省。

婺源一带，山多林密，多产木材，在徽州六邑当中，数婺源的林木蓄积量最大。不仅量大，而且材质优，"自栋梁至器用小物，无不需之"，故《（光绪）婺源县志》有"山林之利，我婺独擅"之说。《各省物产歌》也说："安徽省，土产好，徽州进呈松烟墨，婺源出得好木材。"木材业这一行当，对于婺源的经济和民生都产生了巨大影响。《（民国）婺源县志》这样记述："是月（正月）也，莳松秧，插杉苗，栽杂木。谚传：立春前后五日栽木，木神不知……"

宋代以后，婺源便以经营木业驰名天下。至明清时期，该地木商涉足深山老林，漂浮江河湖海，不畏艰险，木材生意越做越大。"徽处万山中，每年木商于冬时砍倒，候至五六月，梅水泛涨，出浙江者，由严州；出江南者，由绩溪，顺流而下，为力甚易。"（赵吉士《寄园寄所寄》卷十二）销售至桐乡一带的木材，就这样借道新安江，顺流而下，至杭州中转，再经由运河，分散至各市镇。

罗马尼亚人尼古拉·斯帕塔鲁大约作于康熙十六年（1677）的《中国漫记》也说道："这个地区（指浙江）木材昂贵，造船、造房

石门湾 / 沈剑峰摄

和造各种用品都需要木材，做木材生意很赚钱，木材商人十分富有，所以收他们的税也特别多。"这些木材商人，多数来自婺源等徽州山区。

江南一带，素来就有"盐商木客，财大气粗"的民谚。

乌镇马道弄翰林第的主人严辰，曾主讲立志书院、桐溪书院，独力纂修《光绪桐乡县志》。他的外祖父王凤生就出生在婺源一个徽商兼仕宦的家庭。先祖亦为木商，在镇江、长洲一带经营木业。

晚清时在石门湾开设木行的詹蕃桢、江峰青也是来自婺源的徽商。詹蕃桢，婺源庐坑人，是一名附贡生，祖上世代经营木业，是当地有名的木业世家，詹蕃桢本人就在浙江开设了数家木行。他的合伙人江峰青，字省三，号湘岚，光绪十二年（1886）进士，曾做嘉善知县，后来升至江西道员。民国时任江西省审判厅丞。后奉母还山，公举为省议员。他既是一位朝廷命官，又是一位颇有声望的乡绅，所谓"官于朝，绅于乡"，同时又从事木业生意，并在嘉兴开设了一经堂墨店，真的是集官僚、乡绅、徽商于一身。詹、江两家是世交，江在嘉善知县任上时，詹蕃桢曾是他的幕宾。不仅如此，两人还是姻亲。婺源一带，旧时盛行童养媳之俗。江峰青的侄女儿，四岁时就被抱到詹家，后来与詹蕃桢的次子詹鸣珂成婚。正是由于有着如此亲密的关系，两人便合伙做起了木业生意。光绪二十年（1894），他们选中运河拐弯处水运十分方便的石门湾，择址南皋桥边，创办了德昌隆木号。开业之际，在店侧的粉墙上，横着书写"德昌隆木业"五个大字，詹蕃桢出任经理。木号之内，有伙友、排司、学徒、伙头之分，总共十来人，大多为婺源老乡，也有从绍兴、义乌等地来店里做伙计的。

光绪二十二年（1896），詹、江二人又在杭州江干合伙开设隆记木行。但后来宾主离心，多有隔膜，二十七年（1901），詹、江二人便分立门户，德昌隆改名德隆，由江峰青独家经营；詹氏另外在石门镇上开设生记木行，不久，又在练市开设阜生木行。

詹、江二人虽然在生意上始合终分，但毕竟是总角之交，情谊犹在。宣统二年（1910），五十一岁的詹蕃桢在杭州病殁，江峰青第一个送上挽联，痛悼老友：

> 与君为总角交，忽忽四十年，骑竹戏嬉如昨日；
> 此别久疏音问，迢迢二千里，寄梅消息盼停云。

在石门湾创设德昌隆木业时，詹蕃桢将十二岁的长子詹鸣铎带在身边，原本想让儿子早点学习木行生意，却因其体弱多病，只能暂时作罢。于是，詹蕃桢让儿子在账房里，亲自教他《诗经》《尚书》；后来又专门请了先生，让儿子回婺源继续读书。光绪三十一年（1905），詹鸣铎凭着读书多年的功底，终于不负家里长辈的期许，考中了秀才。

长大成人后，詹鸣铎操持生意，四处奔波，又因喜欢舞文弄墨，写下了不少诗篇。他还以詹家和其本人的经历为素材，创作了自传体小说《我之小史》。此书内容从清光绪九年（1883）到民国十四年（1925），逐年记录了一个家庭的社会生活。"从内容上看，《我之小史》是一部带有鲜明地域文化色彩的徽州乡土小说，纤悉必记……刻画出徽州独特的乡土情愁。"（王振忠：《徽商章回体自传〈我之小史〉的发现及其学术意义》，《史林》2006年第5期）作者寄情于纸笔，自叙家世，事随人生，人随事见，以纪实的手法，细致的笔触，极力摹写当时社会的人情世故、作者本人及周围人群的人生际遇和悲欢离合。他的笔端，已经触及晚清民初那段"二千年未有之大变局"。

詹鸣铎虽说是木行经理，但他志不在此，平日里只做嬉客，"行内生意，一概不问。……闲暇无事，坐在楼上，抄录生平杂稿，并补

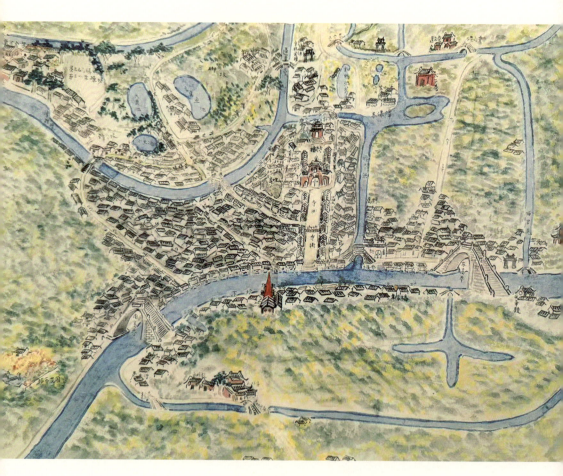

石门接待寺手绘图 / 石门镇志办供图

著《我之小史》续篇第二回。飞质芬讼事始末，那一段文字，笔歌墨舞，酣畅淋漓，真觉文人妙来无过熟"。

读者从《我之小史》获知，詹家从詹蕃桢始，承家族之余绪，祖孙三代皆以木行为业。光绪三十四年（1908），詹鸣铎二十六岁，奉父命到练市阜生木行管理账目。这期间，他用心学习，谙练木业行当。民国十年（1921），三十九岁时，出任阜生木行经理。此后他又将儿子志善带到练市，在阜生行当学徒。嗣后，又送志善进入湖州朱吉记木行继续学习业务。

詹鸣铎十二岁首次到石门湾，在这里度过了一段颇值得回忆的时光。后来，他又多次往返于此。石门湾给他留下了终生难忘的印象，他创作的《我之小史》，有多处文字写到了石门湾的昔日景象、盛衰变化。在后人眼里，这部书不仅是小说，更是一份独特而珍贵的史料。

詹鸣铎十二岁初到石门，发现南皋桥离街不远，便常到街上游玩。去得最多的地方是接待寺，他常在那里看人卖梨膏糖。父亲每月给他二百文零用钱，除了剃头、洗衣，"不过吃吃豆腐浆、糖大饼，及每次二十文之火炙糕、寸金糖"。

尤其难忘的，还是上街看戏法。戏法也没有专门的演出场地，用布篷围一圈子，就成了绝佳的演艺场所。门外的牌子上，每天变换写着演出的戏目。旁边还有西洋镜，放映"打老虎""东洋大雪"等各种幻灯片，末尾有"水涌金山"机关活动。

又有乡间出会，分水陆两个场所。陆地有扮犯人、扮地戏的，船里出会时，上面一层扮戏，下面一层奏乐，"蛮箫社歌，酣畅淋漓"。作者说，到这个时候，"本地风光大半领略，口音亦随声附和，有不期然而然的相似。有一次，街上火起，我见之大呼，人家听见，都去打救，后来方知为叫花子烧干枯"。

1918年，詹鸣铎携妻子查氏和儿子志善到杭州，同时在石门湾装修房间，于4月底始来居住。两年后，又到石门，任生记木行经理。"虽是虚衔，然各事都要放在心里，与去年之闲散不同。正事之外，上街闲玩，无非长乐园吃茶，一乐园吃面，接待寺看戏，听弹词，听小热昏，至于宗扬庙、石门县看会……"

詹鸣铎笔下所描绘的昔日社会万象，江南古镇石门湾的风情，糖大饼（疑为糖塌饼）、寸金糖等孩子们喜欢吃的零食，看西洋镜等娱乐活动，上点年纪的人都曾亲身经历，因而读到这些章节，旧时景象便浮现眼前，使人感到分外亲切。

《我之小史》还特别写到一个场景，作者刚到石门湾时，南皋桥一带是人头闹猛的地方。德昌隆木号对面，常年停泊着炮船。船上的人不时地习武、舞矛子、舞大刀。凡有上司坐轮船经过，炮船总须鸣炮迎送。而在木号以西不远处就是元圣庙（疑为元帅庙），庙门顶上，詹鸣铎还清楚记得是"仁者寿"三个大字。

那时，东皋桥比南皋桥要冷清得多，甚至连桥上都有青草长出，颇显荒凉。

可是，曾几何时，不仅是东皋桥，连同南皋桥一带，也衰落了。

光绪三十年（1904），詹鸣铎乘轮船再次从杭州来到石门湾，"忆我十二岁，已在此住过，故地方颇为稔熟"。这一夜宿在石门，问起南皋桥一带人家的近况，却是"式微太甚，不胜今昔之感"。作者因而赋诗两首，聊志感慨：

十年前已寄吾居，月夕花晨此读书。
隔岸梢官时习武，傍河船户夜捕鱼。

四姑脚小三姑大，南市人多东市虚。
今日再来风景异，沧桑变幻感欷歔。

石门南皋桥，亦名南高桥。清光绪二十年（1894）开办的德昌隆木业即在桥附近 / 汤闻飞摄

詹鸣铎又有诗记述阜生木行及石门湾街景，唯今传本缺字太多，令人遗憾：

> 石门湾里我经营，题取招牌唤"阜生"。
> 我与□□同作此，后□□□喜迁□。
> 回思廿七年前事，严父相随到此来。
> 当日车头仍冷□，□年桥旺生蒿莱。
> 而今南市鸦荒径，除却东头没此行。
> 对面油坊多市面，关心世事感沧桑。

除了石门湾，詹鸣铎还写到当年皂林宗扬庙之行。詹氏目睹庙里有百字抱柱长对：

> 提孤军扫狂寇逆氛，俾院胡得而行筹，汪徐因而就抚，卒保全浙东西数郡苍生，以客将建殊勋，一死足千秋，犹想见耳雷鼻火；过故里吊将军遗迹，看配享有霍贯道，从祀有沈东溪，长消受塘南北万家血食，为乡民驱疠疫，神灵昭百代，恍然睹风虎云旗。

此联在以前的地方文献中似乎未曾见过，詹鸣铎的自传体小说《我之小史》却抄录一过，长联赖此得以存世，成为迄今仅见的珍贵资料，只可惜已不知对联作者是邑中的哪位前辈。

由徽商创作、反映徽商阶层家庭生活的小说，《我之小史》是迄今为止世人所知晓的唯一一部。今天的读者，正是因为有詹鸣铎的这部作品存世，才得以了解他一生的行迹，进而更深入地了解明清直至民国时期徽商的生活和行事轨迹。并通过詹氏的笔墨，再现了石门湾当年的社会景象："油坊多市面"的商场业态，接待寺里种种供人消遣的有趣玩艺，还有长乐园茶馆、一乐园面馆等娱乐消费场所，商人阶层的闲适生活，以及炮船上士卒见了长官那种拘谨畏缩、繁缛礼节——清王朝腐朽没落、行将就木的生动观照，等等。此书犹如一轴风情画长卷，让今日的读者置身其间，桩桩件件皆如亲眼所见。

一个在运河臂弯中成长的江南古镇，石门湾的市镇风情、水乡习俗，通过小说再现出来，无疑是带有独创性的，读者在其他作品、史料中几乎很难发现类似文字，这也许正是《我之小史》独特的价值所在。虽然是数百里以外异乡人的笔触，却依然乡风阵阵，乡情浓郁。捧读其书，直教人沉醉其中，回味无尽……

巡礼河畔古村落

　　村落属于社会结构的基层，既是社会的一个细胞，又是一个丰富多彩的微观世界。一个村落的发展演变，一定程度上反映了整个社会的兴衰起伏。对村落进行剖析透视，世人可以看到一个个微观世界的里里外外，看到它血脉的流淌，肌腱的律动，看到它在曲折前行的道路上留下的一串串脚印。

　　水网地带，村落多傍水而居，或直面运河，或有支港与运河相通。运河两岸流动着升平年代的日常岁月，不管是草长莺飞，还是斜风细雨，不管是男人们在烈日下风雨里耕耘田间，禾黍离离，还是村妇们在昏暗的油盏火下飞针走线，纺纱织布，都是一派充满生气的祥和景象。农耕文明的古意和风雅随处可见。

　　江南运河里流淌的，是柔软温煦的水，它给辛勤劳作的农家带来了灌溉之源，给四处奔波的商家带来了舟楫之利。长流不息的运河水，滋润了两岸的人间烟火。村民们甚至直接在河湾里浣衣，淘米，洗涮，嬉水。大旱年份，小港小河都断了流，乡民们只得将水车接龙延伸到塘河里，戽水灌溉就要焦枯的庄稼。农闲时节，乡民们则轻棹远行，外出谋生，上杭州，去嘉兴，甚至更远的地方，将自家种植的青菜、芋艿、萝卜、甘蔗等农副产品拿到街头巷尾吆喝叫卖，头脑活络的人还会从事商品贩运。就这样，世世代代，人与河，河与人，结下了不解之缘，须臾不可分。实在无法想象，一旦离开了运河水源，无数个村落将怎样生存；人们的衣食住行，还会照样维持吗？

羔羊村

京杭运河从崇德南来，北流石门，羔羊村就镶嵌在两地的中间。村域内河道纵横，数不清的河湾浜兜，错综其间。大羔羊港、小羔羊港等大大小小的支港均与运河相通。小羔羊轮船埠头，就设在运河边上。塘河里，往来于此的客船货船络绎不绝，昔日苏杭班就穿行于此。客轮每每驶至羔羊大桥前就会鸣笛示意，提醒乘客们准备上下船。

羔羊是一个古村落，早在两千多年以前，这里就有人群聚居。汉代文化遗存，挟裹着先民们的生活气息，在这里被屡次发掘。1954年前后，在燕墩村发现一座汉墓。差不多与此同时，在张家圩还发现太平天国的诸多文物，有田凭、门牌等。二十世纪七八十年代，汉代的陶器、瓷器等诸多文物，在这里被发掘出土。2000年，羔羊村进行土地整理时，发现一座古墓。文保单位对其进行了抢救性发掘，出土了宝剑、陶器、铜钱等各类文物。

宋室南渡以后，羔羊一带因为物产丰饶，风景秀丽，又得大运河舟楫之利，便成了江南水乡有名的农桑之区，桑林稼陇，四望无际，流传着"蚕半年，稻半年"的农谚。往时，养蚕业在江南地区传统农业中占有举足轻重的地位。清朱彝尊《鸳鸯湖棹歌》第五十八首这样写道：

五月新丝满市廛，缫车响彻斗门边。
沿流直下羔羊堰，双橹迎来贩客船。

诗中提到的羔羊堰，就在今大羔羊港与运河交汇处。展读是篇，

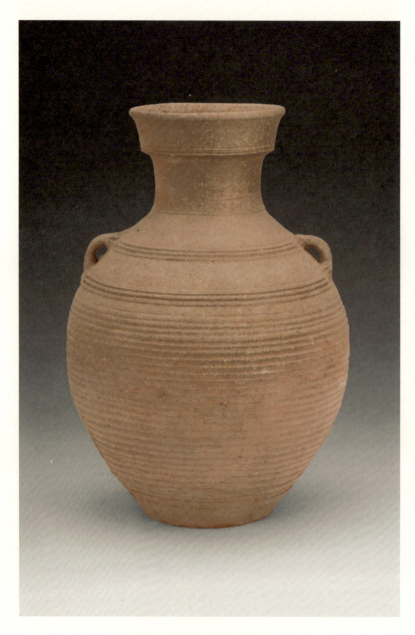

羔羊燕墩村出土的汉代陶器 / 朱宏中供图

人们看到的是当时羔羊及附近农村蚕茧丰收，缫车响彻，新丝登市，四方客来，运河塘中商船蚁集的动人场景。

运河文化在这片古老的土地上逐年积聚，灿烂多姿。

梁天监时，此地建有静林寺，后改称澄寂院，俗称羔羊禅寺。元《（至元）嘉禾志》卷十一《寺院下》已有记载："澄寂院，在县西北一十二里羔羊村。考证：梁天监二年置，为静林寺。开平二年改为双林院。宋祥符元年改今名。"

因寺在羔羊里，故当地百姓习惯称它为羔羊寺。寺后水浜叫寺后兜，寺后自然村也随浜名称呼。寺前旧有石桥，直至清末犹能在两侧桥栏见到"静林寺桥"石刻字样。

二十世纪下半叶，羔羊寺一度成了羔羊乡政府、羔羊公社的办公场所。70年代改建成大礼堂和办公楼。尔后又在寺址建成羔羊初级中学。几经迁拆，原物尽毁，旧时痕迹早已杳然。羔羊中学平整地基时，苏家埭村民苏有根路过工地，发现一块白色莲花石，于是让人抬到家里悉心保管。后经村民确认，此石乃寺中遗存观音菩萨所坐，是迄今为止唯一存世的寺院旧物。

南宋绍兴间，羔羊附近有顾姓农家子弟，十三岁就在澄寂院出家，法名慧梵，字竺卿。晨钟暮鼓，青灯黄卷，小小年纪竟然耐得住这份寂寞。他是个出了名的孝子，虽说皈依佛门，却依然念念不忘侍奉母亲，后来在石门镇区运河边上搭建茅棚，作为母亲安身立命之所。慧梵在茅棚的门楣上题了一个"蓬"字，蓬居庵因此得名。"缚茆奉母"的故事，也广为流传。存世的旧志中最早记载慧梵其人其事的，当推元《（至元）嘉禾志》。此志卷十四称："僧慧梵，字竺卿，石门顾氏子也。受具羔羊澄寂院，持守有严，传宗旨于天竺如虎子。"

蓬居庵搭建以后，慧梵便在茅棚四周栽满水仙和梅花。每届寒冬，蜡梅怒放，水仙亦含苞欲绽，蓬居庵周围，芬芳四溢。慧梵除了诵经念佛，便与二花朝夕晤对，间或绘写其姿影。他虽出生农家，却素具慧根，善写花卉，能得吴兴画僧梵隆笔法，颇为传神。

今日读者，在《圣宋高僧诗选》中犹能读到慧梵的《太湖》《雨后》两诗。前诗云："黄芦一股水，翠竹两三家。落日闻鸡犬，荆榛一径斜。"后诗云："柴门三日雨，幽径十分苔。鞭绽竹间石，钗漫松下台。正嫌屐齿入，休放马蹄来。"显示了作者不凡的文学造诣。

慧梵弟子妙宁，后为崇福寺僧，撰有《崇福寺记》，文采飞扬，才思泉涌。元《（至元）嘉禾志》及后世历代方志均收录此文。

澄寂院毁于太平天国运动时。清《（光绪）石门县志》载："澄寂院在县西北十二里羔羊村，梁天监初建，屡经兴废。国朝咸丰辛酉毁。"

梁天监十五年（516），羔羊村中建有福田庵，民间俗称高桥庵，庵内有观音殿、财神殿、圣帝殿等。近年重建后，香火颇盛。

村中又有羔羊庙，亦屡经兴废。庙中文物，早已难觅踪影。

1939年仲夏，日军侵华，烽火遍于域中，国民党军六十二师第三六八团一营三连连长阙文轩（江苏无锡人）率部驻留羔羊，其临时指挥部就设在羔羊庙内。六月十五日，日伪军窜到羔羊骚扰，夜间，敌我发生激战。阙部经七次突围冲杀，才到元宝桥，但因情况不明，缺乏准备，始终处在劣势，最终阙连长和三十多名士兵皆壮烈捐躯。

石氏中医特色专科是羔羊村的一张靓丽名片。石氏第一代创始人悬壶开诊当在清道光年间。传至第三代石天方（字宝士），将祖传药方改良，"水滴莲花升""无比散"两大秘方声名远播。石氏第四代传人石剑飞将祖传秘方与现代医学相结合，治疗痈、肿、疮、疡及跗骨肌炎等病症，具有拔毒生肌、活血化瘀、消肿散结等功效，疗效显著。石氏中医外科现设诊于羔羊卫生院，每年接诊病例近两万人次，就诊者远自嘉兴、湖州、杭州乃至江苏等地，广泛的影响和良好的口

1921年重修的羔羊村青藤桥 / 沈剑峰摄

碑让它声名远播。

石氏居住的旧宅在寺后兜,建于清光绪二十年(1894),系三开间二层木结构建筑,坐北朝南,古老的花纹和楼层设计样式,镌刻着年代的记忆。当年石宝士先生即在此开设医馆,看诊、抓药、煎药俱在前面厅堂。二十世纪六十年代,这里成为寺后兜小学的校址。历经时代风雨的洗刷,现剩下后厅两层楼,已成为桐乡市文物保护单位。

位于唐家埭自然村的青藤桥系三孔石平桥,桥上青藤缠绕,故有此名。桥面平铺三块宽度相似的石板,宽约三米,两边桥堍台阶五六级,迄今保存完好。古桥四周环境优美,干净整洁,是周围两个自然村村民采桑叶及其他劳作的必经之路,村民们形象地称它为"坏不了的桥"。

古时,青藤桥港是附近农村的主要水路通道,周边也住着不少大户人家。村民从行驾桥行船至羔羊赶集,常常将船只停靠在青藤桥附近的金光斗(现已并入三家村组)。附近村民去集镇购物,也从青藤桥上走。民间还有一个美丽的传说:青藤桥东面有石元宝,桥边埋藏了"六桶金、六桶银"。

青藤桥港以水深闻名。民国二十三年(1934)大旱,周围的河浜皆干涸,甚至连运河也断流了,唯独青藤桥港依然水流澄澈。如今,它仍蜿蜒在羔羊村的土地上,像一个饱经风霜的老者,饱览人世间的种种变化,见证着历史的变迁。

提到羔羊,不能不说两宋间随宋高宗南渡的著名书法家王升的传说。相传,当年王升从开封赁舟南下,一路颠簸,未得休息。行至羔羊,见其地水草丰茂,人气祥和,心中若有所动,于是拿定主意,此生不再漂泊,栖止于此,并自称"羔羊居士""羔羊老人"。

王升是有名的书法家,行草兼擅。草书宗唐代有"颠张狂素"之称的张旭、怀素,奇伟绝俗。宋赵希鹄在《评宋代名贤书》中,谓王升

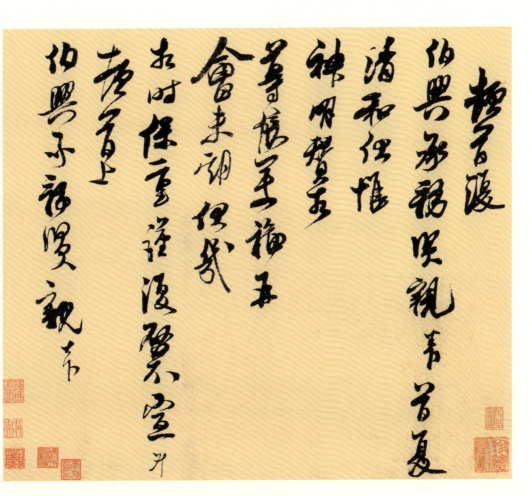

王升书法（曹建平主编《桐乡历代书法篆刻图录》，西泠印社出版社2023年）

的草书可"比肩古人"，"殆欲欺凌怀素"。宋朱敦儒以为王升的草书可与王羲之的行书相媲美，因题其《兰亭禊序》卷云："逸少作行书，逸老为草字。外人那得知，当家有风味。"王升的行书提按丰富，技法娴熟，书风接近米南宫，为"宋四家"后的翘楚。当代书法大家启功《论书绝句》第十四首也高度评价王升的书法成就："草写千文正写经，温夫逸老各专城。宋贤一例标新尚，此是先唐旧典型。"

北宋宣和年间（1119—1125），王升以草书《圣经》进献，被召入御书院，任书学学录（时书学职官为博士、学正、学录、学谕、直学五级）。南宋时，近臣向皇帝进言，谓王升书法绝伦，遂召见垂询。王升以书称旨，颇得高宗的恩宠礼遇，擢官至正使。（王升后来迁居乌镇。《（乾隆）乌青镇志》有王升传："王升，字逸老，寓乌戌，自号羔羊居士，所居有圣采堂、得柳轩。"）

民利村　永丰村

民利村位于崇福镇西南部，旧称安丘里。宋元以后，安丘里南是海宁地界，归杭州府，西为德清辖地，归湖州府，因此该村便成为杭嘉湖三府，崇德（石门）、海宁、德清三县交界之要冲。故而宋元时，崇德县共设置皂林、石门、安丘三处巡检司，其中安丘巡检司即驻今民利村，附近区域的社会治安，责任在焉。

村落东有千金桥港，与东安村隔水相望，北濒京杭大运河，西临劳家高桥港，泰山桥港流经村南，全村四面环水，又有盐官下河穿村而过。村域中，其他主要河道还有西坝桥港、庙桥港等。"320国道"横贯村南，国道南即海宁科同村。

据传，现民利村庙桥港两岸曾有永宁集市，东至章桥港油车桥，西至大麻镇光明村西金桥，沿河而建的店铺屋舍连绵不断。附近有永

民利村、永丰村运河段 / 李力群摄

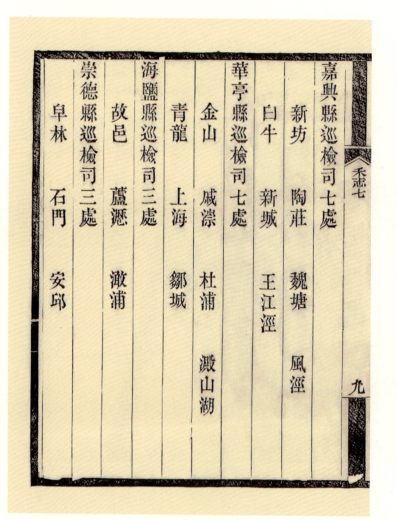

嘉興縣巡檢司七處

新坊　陶莊　魏塘　風涇

白牛　新城　王江涇

華亭縣巡檢司七處

金山　戚㵗　杜浦　澱山湖

青龍　上海　鄒城

海鹽縣巡檢司三處

故邑　蘆瀝　澉浦

崇德縣巡檢司三處

阜林　石門　安邱

安丘设置巡检司，元《（至元）嘉禾志》卷七即有记载

宁庙，佛塔高耸，北宋末年金兵南下时被毁。1966年建造机埠时，有村民见过废弃在地里的永宁镇石碑，后被砌入机埠引水槽中，迄今村里尚存永宁庙桥、尼姑庵、油车桥、宝塔地里、和尚浜、师姑漾、卖鱼桥等遗址和古地名。庙桥港岸边，发掘出较多木桩、瓦砾、石器。民间至今还流传着"七浜（汪家、姜家、和尚、铜杓、靴脚、五圣、厅屋）不上水"的传说。

明代以后，墙门头村中有劳氏乡绅居此，宅邸墙门高大，村因名劳家墙门头。劳氏来历，清《（光绪）石门县志》卷十一有载："宋兵部尚书修，策勋南渡，迨元，有原诚者，官崇德州学录，家焉，即今石门县也。数传至珩，珩弟批，明成化朝官给事中，以直谏忤旨。自珩以上，世居洲钱里。珩子经，赘安丘里，遂徙居之。子钫，钫子源，源子王事，赠福州府知府。子金粟公，讳永嘉，累仕至山东布政使司左布政使。"劳永嘉之孙劳之辨，清康熙三年（1664）进士，官至左副都御史，《清史稿》有传。

明清时，劳氏尚有劳俶衍、劳大与、劳斯清、劳瑾等举人。

劳俶衍，劳永存之子，清顺治五年（1648）戊子科举人，任安徽颍上县知县。

劳大与，字曾三，清顺治八年（1651）辛卯科举人。《（光绪）石门县志》记载"由乡举任永嘉教谕，学问深邃，著述甚富。尝应聘为福建房考官，旋补海宁教谕，卒年八十一。著有《万世太平书》十卷、《瓯江逸志》、《宜斋随笔》、《芥园杂录》、《经世要略》、《海昌志略》、《劳氏家训》"。

劳斯清，字石含，康熙五十年（1711）举人。著有《南津偶述》。

劳瑾，乾隆二十一年（1756）举人，官平越知县。

安丘里还有一个历史名人——余田，字舜耕，号龙津，明嘉靖二十九年（1550）庚戌科进士。历任礼部主事、员外郎、郎中，后升任四川右参议。

余氏先祖，从皖南歙县迁来，家于安丘里，"元乱谱散，莫知其始徙者"。至明代，已成为当地望族，崇德人皆称"安丘余"。今日民利村尚有余家角落、余家木桥、余家兜等地名。余家角落、沈家庄等地仍有余姓后人居住。

至少在七八百年前，安丘里的住户已经逾百。人口的逐渐集聚，形成了村落。此后，民利村陆续建有西安丘庙、中安丘庙、东安丘庙、五圣堂（民国时，五圣堂改设小学堂。后被拆除，木料用于建造上市公社房舍）、福庆庵、净心庵等庙宇。三座安丘庙都是供奉吴王孙权，香火旺盛。其中以西安丘庙最为有名，庙址在民利村西（现光明砖窑址），由南往北，共有五进。庙中有戏台，坐南朝北，背后靠河。从外形看，上为"碗帽形"，下为四角形。台宽约8米，长9米，由南向北倾斜20度，南高北低，便于观众观看。由于戏台台面倾斜，演员若本事不济，翻筋斗时就会翻下台来，故非好演员不敢登此戏台。第二进是天井，也是观众看场，由北向南倾斜。

往昔，黄金大舞团、国民大舞团、庆胜大舞团都来西安丘庙演戏，所演剧目大多为古装武打戏。民利村老人周增卿回忆，国民大舞团的《三本铁公鸡》最受本地观众欢迎。

民利村中港汊密布，因而修桥铺路成了地方上的头等大事。此处建于明代的古桥有千金桥、永宁桥等。

千金桥，《（嘉庆）石门县志》记载重建于明弘治十年（1497），桥名沿用至今。它是民利村中有文字记载的时间最久的桥梁。

永宁桥，俗称安丘庙桥，坐落于中安丘庙宇前的庙桥港上，原为三孔平桥。它与安丘庄桥（今东安村章桥）差不多同时建造于明末崇祯年间。

清代又新建或重建有永福桥、坍鱼桥、宝善桥等。

《（嘉庆）石门县志》记载，嘉庆二年（1797），安丘里劳正曙在劳家渡口建永福桥。劳家渡口有渡船，故俗称"渡船头"，吴方言中，与"大善头"谐音，故而后人常将此桥称作"大善桥"。二十世纪六十年代末，改名友谊桥。

民利村的村民勤劳朴实，又头脑活络，善于接受新事物。

《（嘉庆）石门县志》卷四《物产》载："石邑东西诸乡皆可种棉。迩来织纺者众，本地所产，殊不足以应本地之需，商贾从旁郡贩花列肆吾土，小民以纺织所成，或纱或布，侵晨入市易花以归，仍治而纺织之，明旦复持以易，无顷刻闲。纺者日可得纱四五两，织者日可得布一匹余。田家除农蚕外，一岁衣食之资赖此最久。燃脂夜作，有通宵不寐者。"民利村众多妇女承袭传统，利用农闲时间买棉花纺线，每至夜深犹闻机杼之声，织成土布后去大麻或德清县各个市镇售卖，或兜售给经纪人。二十世纪六七十年代，每市尺土布价格在0.22元上下，一名妇女一年可织土布三千来市尺。

八十年代初，又有部分村民自发合伙挖黏土，印泥坯，垒起土窑，烧成红砖后，运至乔司等地销售。一个正劳力以此为业，一年可挣百余元。

民利村南面毗邻海宁，而海宁农户向有种植甘蔗的传统，民利村民渐受影响，多在自留地种植甘蔗，每户所产从一百多扎（十根为一扎）到几百扎不等，每扎可卖2—3元。卖甘蔗所得，一时成为农民经济收入的重要来源。八九十年代，每年春节前后，村中成年男子便纷纷结伴，驾橹摇船，远至上海市区、郊区，江苏常熟、苏州、无锡等地售卖甘蔗。他们风餐露宿，备尝艰苦，年前如未能售罄，则除夕亦难回乡与家人团聚。

1983年以后，农村开始实行家庭联产承包责任制，村民种植甘蔗的面积不断扩大，收入也逐年增加。村民经济收入又找到一条新途径。1983年，原建设村农户创办一家造纸厂，部分村民卖完甘蔗后，在外地半捡半买，搜罗种种废纸，带回村中，卖与造纸厂，颇能获利。嗣后收废纸渐成为当地农户的一项主要职业。"东贩木头西贩纸，中央心里耙螺蛳"（东面城郊村大部分村民从事木材生意，西面民利村大部分村民从事废纸业，中间东安村有部分村民日日耙螺蛳为业），成为民利村及附近村庄妇孺皆知的口头禅。但是，随着从事废纸业人员的逐渐增多，废纸买入价格也水涨船高，利润空间越来越小，大部分以此为业的人难以为继。但仍有部分村民不废此业，常年栖居他乡，四处搜集。运气好或善打交道者，能找到好几家比较固定的客户，将其所有废纸统统包下，分拣投售，获利可观。

民利村以西，海宁许村、桐乡大麻等地，是远近闻名的织造之乡，大部分家庭都置有绸机。"西风东渐"，民利村村民也开始置办绸机，逐渐形成规模。当时村中机声轧轧，彻夜不绝。二十世纪末，一台织机一年产值约三四万元。

有的农户，又开始从事皮毛生意，且有越来越多的村民经营此业。他们大多加工狐狸皮、貉子皮、兔皮，以及比较高档的貂皮。最初是为服装企业加工领子、帽条，尔后逐步发展，自办企业，生产皮毛服装，产品销往全国各地，甚至远销国外。二十一世纪以来，皮毛加工业已成为民利村的主要产业。2008年底，村中的皮毛企业有40余家，本村人在村外办的皮毛企业也有近40家。一年收入，十分可观。

松老高桥北塊，就是隶属大麻镇的永丰村，它与民利村隔运河斜对。往昔，此处自然形成小集镇。运河塘上往来船只常在此停泊过夜，补充生活物资。直到二十世纪九十年代，周边永秀、芝村、上市数乡农民还来这里出市。

永丰也是一个历史名村，最早有文字记载的历史可以追溯到唐宋

永丰村常年栽种的长梗白菜 / 大麻镇文体站供图

时。村中有永丰庙，相传始建于唐代。"永丰里"的地名，亦因此而得。元《（至元）嘉禾志》有载："南津乡，在县西郭下，管里八：孝义、清化、大义、桂华、嘉福、长营、进安、永丰。"其余七里皆已湮没在历史的风尘中，唯独"永丰"之名一直沿用。宋绍兴年间（1131—1162），官员王琮便定居于永丰里。

王琮，字伯玉，北宋崇宁五年（1106）进士，历任左司郎中、两浙转运副使、江东转运副使等职。绍兴五年（1135），以左中大夫、直龙图阁、提举台州崇道观致仕。王琮原籍钱塘县吴山乡，卸任后迁居崇德县永丰村。明《（万历）崇德县志》载："（王琮）绍兴间避地，居邑之永丰。"定居永丰后，王琮倾心教授子侄读书，清《（康熙）石门县志》称其"笃于孝友，凡得恩赏，先弟侄后子"。据《绍兴十八年同年小录》记载，王琮之子王允功（1123—？），字元鼎，绍兴十八年（1148）考中进士。

千载以下，永丰村已难觅王琮旧居的遗迹，但村中尚留有一座龙图殿，祭祀宋代名臣包拯包龙图。然而包拯与桐乡素无渊源，只有王琮曾官至直龙图阁，并且寓居于此，直至终老。人们有理由相信此龙图非"包龙图"，而是"王龙图"，龙图殿最初乃是为纪念王琮而建。

清《（光绪）石门县志》卷一《舆地志》载，其时南津乡所辖有姚家埭、朱家兜、石东村等。这些古村落即属今永丰村。

石东村有石东古文化遗址，地面采掘有从良渚文化一直到商周和春秋战国时期的诸多陶器遗物。大麻镇域范围内，此为唯一的史前遗址，2003年12月15日公布为桐乡市文物保护单位。

明代大理寺丞朱逢吉墓"在永丰里"。

松老高桥横跨运河，最早建于南宋嘉定间。按照今日行政区划，是一桥跨两镇。桥之南是东安村，属崇福镇；桥之北为永丰村，隶大麻镇。崇德沦陷时，日军在松老高桥上建有炮台，经常逼迫村民开壕

永丰村与浙江大学作物所展开技术合作，探索油菜高产之路 / 大麻镇文体站供图

沟，做苦力。夏家埭王松高时年十三岁，也被抓差，后被捆住手脚关押在炮台，同时被关押者有十多人。清明前夜，他们趁敌不备，从油菜地水沟中逃走，最终王松高等五人侥幸脱逃。

民利村当年以种植甘蔗出名，永丰村农户则普遍栽种长梗白菜。初冬时分，便是长梗白菜成熟的季节，村民们大都将菜洗净后加工成腌菜，运往杭州等地销售。城里人普遍喜食腌菜，或直接放油焙炒，或烧肉烹鱼时放入少许，鲜味倍增。每到长梗白菜收获季节，运河塘中，常见永丰菜农自驾小船，追波逐浪，朝杭州进发。这种业态，至今犹延续如昔，成为村民们一项不容小觑的副业收入。

跨入新时代，永丰村的农业生产踏上了新的征程。它首创"田保姆"现代农业服务品牌，数次登上央视，央视纪录片《端牢中国饭碗》曾来此取景。现在又有"稻蛙共养"试验田，并与浙江大学展开技术合作，探索优质油菜栽培技术，一步一个脚印，摸索出一条迥异于传统格局的现代农业发展新路径。

· 漕运商贸 ·

松老高桥下，当年漕艘必经之处 / 吴荣荣供图

漕
艘
千
古
集
官
塘

　　"漕"者，"水转谷也"，其本义就是通过水道运输粮食。"漕运"是我国古代一项重要制度，在封建时代扮演了极其重要的角色。

　　运河乃漕运通津。自隋炀帝开通南北大运河后，至唐宋时期，漕运数量渐增，品种渐多，呈现出日趋繁荣的局面。直至清代，漕运都是重大的国家事务。漕运这一独特的制度和体系，历经多个朝代，延续了一千多年，对古代中国的发展产生了巨大影响。作为农耕社会的生命线，漕运对中华民族大一统格局的巩固有着极大作用。

　　唐宋以后，随着江南经济优势地位的形成（所谓"辇东南以供西北"），运河这条交通线之重要性愈加彰显。一直以来，京杭运河流过的地方，亦即漕艘所经之处。

　　运河流经桐乡境内长达44公里多，为漕运的必经之途。运河崇福镇市段，曾有唐代银锭出土，似可说明，当时途经崇福的漕运和商贸是何等繁忙！

　　清嘉庆时，洲泉"千年吴"后人吴曾贯，号涧莼，由优贡成进士，任陕西盩厔县（今周至县）知县，著有《补砚斋文集》《渭南河渠考》等。他作《语溪棹歌》五十首，其中有诗写官塘漕运景象：

　　　　漕艘千古集官塘，松老桥边夕照黄。

正值顺风烧纸后，满头花朵柁楼娘。

　　此处所称官塘，即京杭运河，亦称漕渠，漕粮运输，粮艘无不从运河北上。松老桥，俗称松老高桥，其址在今属崇福镇东安村、大麻镇永丰村的运河塘上，桥下正是漕粮北运的孔道。清代《户部漕运全书·浙江运河考》就载有"……又过北陆桥入石门，过松老，抵高新桥，海宁支河通之"等文字。吴曾贯诗中描绘的，正是运河中漕艘云集，从松老高桥下顺流东去的繁忙景象。

　　海宁漕艘，历来自庄婆堰桥出西安丘高桥至官塘。宋嘉定十四年（1221），崇德南门外建有包角堰桥，明弘治间建何家桥，后改称吾嘉桥，万历间又建登云桥。此后，海宁漕艘北运便改走此道，吾嘉桥下，成了必经之处。

　　石门镇区往东五里有白马塘，自洪泾桥，经安兴、民兴，至乌镇斜尖嘴，全长13.7公里。明清两代，烂溪塘、白马塘一线的河道是石门湾通往吴江平望的重要运河支线，漕艘常从此水道北去，故旧时亦称白马塘为"漕运河"。

　　乌镇位于江浙交界处，烂溪塘横贯镇北，扼两省水运要冲，茅坤《浙直分署纪事本末序》称乌青镇"绾钱塘、姑苏之脊，所当商贾之航闽粤而漕江淮者，亦咽喉于此。人烟辐辏，环带数千家"。漕艘、商船，穿梭于镇北烂溪塘，太师桥、通济桥是必经之处。

　　漕粮载运，从洲泉众安村、马鸣村、夜明村流过的长虹大溪（即含山塘，俗称聚宝桥港，或曰三洞环桥港）也是一条重要的通道。长虹大溪南流至余杭博陆镇，汇入运河。往北流至湖州双林镇，然后水分二脉，一脉向西又折北，蜿蜒进入湖州市区，流向太湖；一脉向东，在乌镇西北的苏浙两省交界处折向北面，入息塘，最终也流入太湖。明清时，从杭、湖两地北去的粮艘常走这条水道，故《（嘉庆）

当年漕运的又一重要通道——白马塘 / 汤闻飞摄

洲泉长虹大溪，俗称三洞环桥港，昔时杭湖漕舫，多从此过 / 施青山摄

石门县志》有以下记载："长虹溪与湖州交壤，隶县境者十里，西南属德清，东北属归安，杭湖漕艘经此。"

依托运河这一黄金水道，商业、贸易、运输、仓储等产业全面发展，促进了沿河城镇的建设和繁荣。但是，漕运毕竟是运河的主要功能。翻检《明史》，竟直接将运河称作"漕河"："明成祖肇建北京，转漕东南，水陆兼挽，仍元人之旧，参用海运。逮会通河开，海陆并罢。南极江口，北尽大通桥，运道三千余里。……总名曰漕河。"

回溯历史，大运河曾多次改道，漕运方式亦时有变革，但漕运的本质特征始终未变，即每年都将南方数以万石计的粮食以及丝绸、茶叶、瓷器等商品运往北方，以供养京城的王公贵族。

漕运的种类繁多，运量庞大。明清时期每年抵达通州的漕船粮艘、官私船只、客舫商船有三万多艘。清道光年间仅漕船每年所携带的北上免税物资就有113.87万石（1石=60千克），南下时为37.961万石。当时的漕粮主要来自江苏、浙江和安徽等地，乡农一年到头辛苦所得，大半都由漕艘运到了京城。而经运河交易的北方土畜产、山货和南方的茶叶、瓷器、杂货等也难以计数。

明清时，朝廷以法令的形式颁布漕运制度并确保其执行。首先是颁布漕粮的征收制度，规定农户上缴的漕粮必须保证质量，如果漕粮分量不足或有霉坏，州县官吏就会被革职，监督漕运的官员也会被降级。另外，漕粮运输也有相应的时间节点，明宪宗成化时就制定了严格的漕运时限，此后要求日益严格，漕运时间也不断被缩减。比如明隆庆间朝廷规定从浙江运漕粮到北京要花五个月时间，漕粮十月开仓，十一月完成漕船装载，十二月出发北上，来年二月过淮安，三月过徐州，四月必须到达通州。此外，朝廷还制定了相应的违限惩罚制度，每三年考核一次，对违反时限者进行"运官降职"的处罚。正德年间的漕运要求标注水运路程图，并按天填写行止地点，超限漕粮统一存放在德州仓库。

明景泰时，行驶在运河中的漕船一般为八九千艘至一万艘。到崇祯初年，漕船已增加到一万二千一百四十三艘。当时，朝廷还规定每艘漕船准许携带货物二成，可在途中自由贩卖。

明弘治十五年（1502），明文规定："凡漕运军人许带土产易换柴盐，每船不得过十石。若多载货物，沿途贸易稽留者，听巡河御史、郎中及洪闸主事盘检入官，并治以罪。"

嘉靖元年（1522）规定，"运军许带土宜，附搭客货者参问"。"户部题，查得旧例，每粮船一只，许带土宜二十石。又见《行事例》内一条：漕运船只除运军自带土宜货物外，若附搭客商势要人等酒曲、糯米、花草、竹木、板片、器皿货物者，将本船运军并附带人员参问发落，货物入官。"后又"访得各总旗甲人等在运艰苦备尝，贫困已极，相应宽恤。今后各船自土宜正数之外，凡装带应抽竹木等货觅取微利者，一并免税。如有附搭客商夹带私货者，查出定照例没官，仍治其罪"。

清初嘉兴朱彝尊《漕船》诗有句云："国家岁转漕，每船六百石。官舱计所储，为斛千二百。……惟以便挽丁，夫妇得泛宅。南去挟枲丝，北来收果核。"漕丁一家子都以船为家，生活艰难，唯一有利可图的，便是在官府允许的范围内稍稍夹带点私货，或将南方的丝、麻织品贩运北方，或将北方的干果带回南方，借此赚点蝇头小利，贴补家用。

据明代席书编次、朱家相增修的《漕船志》载，嘉靖间，"江南直隶浅船共一千二百五十八只"，其中"嘉兴所四十只"。浅船是一种运输漕粮的船，建造时规定底长五丈二尺，头长、梢长、底阔皆为九尺五寸。每艘船上配橹四支。底板厚二寸，栈板厚一寸七分，共用大中小楠木九根。每艘船单是木料价就需银六十两。

　　清代的漕船总数有一万四千余艘，实际运行的有七千余艘，规定十人一船，十船一帮，每船装运量不得超过五百石。历代地方官吏为确保运河的运输能力，常常发动沿河民众疏浚各段河道，挖淤掘浅，培护河堤，修闸筑堰。

　　千船万斛，千辛万苦，每年运抵京师的漕粮，有一多半出自江浙。

　　清《（雍正）浙江通志》记载，其时漕粮正耗米石门县44559.61石，桐乡县37702.14石。白粳糯正耗米石门县6021.91石，桐乡县5265.36石。

　　《光绪桐乡县志·漕运》有如下记载："原额兑、本色漕白、正耗并行食米四万三千九百八十四石三斗二升一合（内同治四年奉文减免京仓兑运漕粮正米六千七百六十一石一斗六升八合六勺，耗米二千七百四石四斗六升七合五勺。白粮改漕正米五百二十六石七斗五升四合四勺，耗米二百一十石七斗一合七勺。行粮米一百九十石六斗八升八合七勺），共免征米一万三百九十三石七斗八升九勺。"

　　《（光绪）石门县志·漕运》则称：石门县"原额正改兑、本色漕白、正耗并行食米五万一千七百四十二石七斗八升七勺（内除同治四年奉文减免京仓兑运漕粮正米九千七百六十三石二斗六升八合四勺，耗米三千九百五石三斗七合四勺。白粮改漕正米七百三十五石八斗五升一合四勺，耗米二百九十四石三斗四升五勺。行粮米二百四十二石三斗七升八合九勺），共免征米一万四千九百四十一石一斗四升六合六勺"。

　　漕运的繁荣，使漕运文化应运而生。其中一个重要内容，便是有相当篇幅的诗文深刻且形象地描绘漕粮运输的辗转之艰，艄公纤夫的风霜之苦，还有沿途胥吏的盘剥之酷。

漕艘南来北往，需要众多纤夫牵挽。清光绪《钦定大清会典事例》记载，江浙一带，类似皂林驿这样的水驿皆设有纤夫。驿站纤夫的需求量很大，如遇纤夫不足，则常征调地方民众充当临时短纤。纤夫的酬劳极微，雍正时，石门县每人每日给银二分六丝四忽，嘉兴、秀水等地每人每日给银二分。

纤夫以及船上漕丁，社会地位低下，"类皆无业游民"。收入微薄，生活艰难，是他们的共同特征。历代漕运的场景，以及漕丁生活的艰难，常常反映在诗文当中。

明末清初，海宁籍史学家谈迁一度在北京为幕僚，来去皆走运河。他从北京回嘉兴，搭乘漕船，目睹了漕运之苦，沿途写下《后纪程》，其《序》中说道："因漕舟而知漕卒之困，与贫氓等也。工料之重，私耗之繁，其费十倍于先朝。"

劳之辨，崇德人，康熙三年（1664）进士，官至左副都御史，有《静观堂诗集》三十卷行世。他的《红剥船行》，极写漕船上生活的艰辛，世人难以想象：

> 东南挽粟来京国，万廪千箱供玉食。
> 今岁官租隔岁装，弁丁远道疲筋力。
> 长年三老历风霜，衔尾严程无暂息。
> 行尽黄河与运河，河西套子行不得。
> 船沉沙淤不利牵，大船重运分小船。
> ……

乌镇诸生郑以嘉，号山艻，少有才名，屡试场屋，不得一第，牢骚悲咤，以致早卒。有《谷口山房诗草》，未刊。他的《征漕叹》，刻画细腻，入木三分，既是诗，也是史。

追呼晓夜来江乡，锄粟屋粟群输将。

泛舟之役夜不遑，与冰夺路声琅琅。

肩挑背负争上场，官来验米形昂藏。

傔人杂沓罗两旁，较量过于今牙行。

其实以意为低昂，奉盘奴子尤披猖。

惟虎有威狐假装，有时精凿遭簸扬。

有时秕莠充膏粱，为青白眼变不常。

……

道光十三年（1833），乌镇陆以湉赴京赶考，归途中行至今江苏宿迁仰化地界，"见南来粮艘，衔尾相接，时适顺风，其行甚速"。唯不知陆老先生见此场面时，会不会产生如下联想：眼前这首尾相接的粮艘，装载的或许正是从杭嘉湖一带甚至刚好是桐乡一邑征收的漕粮，每一粒稻谷都浸透了故乡父老的汗水和心血！

清中晚期，由于运河淤塞严重，海道交通便捷，加之历来漕弊之积习，故清廷于咸丰初年毅然将南漕改由海道运送至京。

光绪二十六年七月二十日（1900年8月14日），八国联军攻入北京城，慈禧太后闻讯，于夜色之中带着光绪帝换上民衣，仓皇出逃。翌年，签订了丧权辱国的《辛丑条约》。慈禧太后携光绪帝回京不久，清廷就发出一道谕旨：裁撤东河总督，自本年起，各省河运一律改征折色（征银）。至此，这种建立在自然经济基础上的实物供养式的漕运制度，在延续一千余年之后，终于结束了它的生命历程，退出了历史舞台。此举在清代税政史上堪称一大进步，但它对江南区域商品经济与市镇机能发展的影响也是不能忽略的。

撑起商贸一片天

　　江南运河的畅通带动了两岸社会经济的发展，太湖流域经济环境得以大幅度改善，从而使这一区域逐渐形成以运河为商品流通主干线的城乡市场网络。唐贞元年间，漕运大兴，江南的漕粮和纺织品都通过大运河输送至北方。同时，运河也成了南北客商往来的重要通道。

　　后晋天福四年（939），置崇德县，设县治于义和市（今崇福镇），境内经济、人文勃兴。民国《嘉区文献》对此有精要概括："唐末五代，中原扰攘，而钱镠居吴越八十余年，独不被兵。崇德又紧靠吴越国京，四方冠冕咸集，造成人文兴旺。"

　　宋代以后，江南地区重商、经商风气愈益盛行，周密《癸辛杂识》说"人多好市井牟利之事"。元朝以前，南北商货交流已经十分频繁，至明朝中期，运河沿线税收占全国税收的三分之一，作为运河南端终点的杭州被誉为天下第一码头，而桐乡段运河也随之成为水上交通命脉。来自各地的行商坐贾，荟萃于运河沿岸的各个城镇，开店营业。于是出现了商号林立、百货骈集、商贸繁荣的局面。与之密切相关的农业、手工业也快速发展，进而为商业的繁荣提供了强有力的支撑。

　　桐乡地处江南运河中轴线上，无论市镇还是乡村，无不是依运河而生，随运河而兴。得益于大运河，境内的商品经济有了空前的发展。船舶往来，商旅辐辏，沿河两岸人口逐渐集聚，先为村落，后成市镇，崇福、乌镇、石门、濮院、大麻等重要市镇次第崛起。往日冷落荒僻的草市，渐成为杭州和秀州（嘉兴）间一个个重要商埠。

江南市镇，既有共性，又各秉风姿，各擅胜场。

崇德系千年县治，又地处运河之畔，一县的政治经济文化资源尽萃斯地，至明清时期，市面已十分繁荣。沿运河两岸，行栈林立。明《（万历）崇德县志》卷十一《纪事》记载："市肆多商贾，服饰以绮绣相尚，宴会以珍羞相竞，倡优盈市，匏酪腥禽，森列于肆者，不下百余家。"其时商人经由运河北销的大宗商品有棉布、丝绸、茶叶、纸张、瓷器、铁器、粮食、食盐、竹木等，南运的物品有大豆、米麦、花生、梨枣、烟叶、油、麻等。西南地区的珍珠、象牙、翡翠、沉香等奇珍异物，北方的药材等，以及本地产的蚕茧、土布、小湖羊皮、杭白菊、蓝印花布、乌桕子等土特名产也纷纷进入商品流通环节。

明王穉登《客越志略》记载，崇德"地饶桑田，蚕丝成市，四方大贾岁以五月来贸丝，积金如丘山"，从中可见明中后期崇德蚕丝贸易的盛况。明陆师道《陆尚宝遗文·友松胡翁墓志铭》描述了崇德人胡友松由农而商，依托运河便捷的水运，往来于苏州与崇德之间，从事丝织品贸易而迅速致富的事例："翁本嘉兴之崇德人，世业农，父殁，困于繁役，因以先世田庐悉让兄弟，脱身来居苏。崇德业种蚕，而长洲织工为盛。翁往来二邑间，贸丝织缯绮，通贾贩易，竟用是起其家。"

崇德城内，长不过三百余米的横街堪称运河沿线风貌最为完整的历史街区之一。东横街的尽头，便是千年流淌的运河故道。历经百余年的孕育，到明清时，此地已是商业、手工业店铺林立，一镇之繁华，尽萃于斯。其间虽遭明万历三十五年（1607）的特大火灾，民舍烧毁五百余家，东横街几乎推倒重建，但至清末，此地又是商家栉比，店号鳞次，绸布衣庄、皮货商铺、茶馆酒楼和各种手工作坊遍布街之东段、中段。百余年后，"典衣绵绸""义和顺"等招牌上的字迹依然清晰可见。

清朝时，石门县城（崇福）经商人数和经营品种远胜于明代，各类商店有五百余家。随着工商业的发展，驳船出租逐渐兴盛。清乾隆六年（1741）即有吕姓居民在镇北鱼船汇以出租驳船为业。历经两百余年，至民国三十七年（1948），此业已发展为十一户，有驳船九十条。

清末民初，客运以脚划船（乌篷船）与快班船为主。民国二十二年（1933），崇德县城与长安镇、乌镇已通汽轮，客运可通上海和杭嘉湖地区的主要城镇。如此便利的交通条件，促使境内的商贸规模远超从前。

崇福米市素称发达。粮行米店沿街林立，粮贩、掮客往来不绝，市河中泊满来镇交易粮食的航船，每日有近百艘，集散转口贸易的粮食每年数以万石计。太平天国运动后，米市移至西门、北门。茅桥埭即崇福城北米市之一，临街搭有廊棚。清中期茅桥埭曾开设宝大油坊，故后来又有油车埭、油车弄之名。茅桥埭东侧原有歌舞庙，民间传说系西施献吴前习舞之处，直至二十一世纪初，地名犹称歌舞庙。

崇德南三里桥一带，北路夏镇、淮扬、楚湘等地客商云集，水上商品交易十分兴旺，素有"小瓜洲"之誉。清《（光绪）石门县志》卷十一记载："邑中地种梅豆，堪作腐，远方就市者众。商人从北路夏镇、淮扬、楚湘等处贩油豆来此，作油、作饼，又或转贩于南路。商人豆船皆集包角堰，谓之'小瓜洲'。"这种商业贸易由来已久，明初朱逢吉即有《南津客帆》诗写此场景：

崇福东横街东临运河，是明清时商铺荟萃之地 / 崇福镇政府供图

落日映溪津，维舟次若鳞。语声多北客，物产尚南闽。

灯下犹沽酒，船头有问神。居民遂生理，茅屋岁更新。

明嘉靖隆庆年间崇德知县朱润也有《南津客帆》诗：

落日南津渡，停桡两岸多。炊烟迷野市，灯影入澄波。

风静殊方语，月明子夜歌。驱人名与利，都向此间过。

桐乡境内，有"小瓜洲"之称的并非崇福南三里桥一处。皂林古镇沿运河而踞，往昔市廛繁荣，更兼四野良田千顷，盛产稻米。"皂林渡口渡船齐，青镇东来官路西。两岸稻花香不绝，桔槔声里过车溪。"（海盐张燕昌《鸳鸯湖棹歌》）皂林米市，远近闻名，亦有"小瓜洲"之称。倭寇犯境，皂林首当其冲，往日繁华，顷刻间变成一片废墟。当地士子陈沄目睹此状，心头有说不出的惋惜，他的《冶塘棹歌》笔触凝重，为昔日繁华的皂林写下了一曲深沉的挽歌：

便民仓徙剩青畴，米市河湮只一沟。
行脚僧归海会寺，而今莫问小瓜洲。

诗写完后，作者似乎意犹未尽，又特别提示读者，必须顾及皂林往日的历史，方能对无常的世事有更为深刻的理解："皂林米商广集，中有米市，名'小瓜洲'。海会禅林，在米市中，万历年建。曹谷《皂林斋田记》：'皂林斋堂，为吴越行脚僧人孔道。'"

"驿路迢迢送夕阳，石门湾口泊连樯"，地处运河拐弯处的石门镇历来商贸兴盛。宋时，镇域"商贾渊薮，廛里旁溢"，成为运河沿线一个繁华之地，故置赡军监库廨榷酒务于此。

元时，石门镇已是运河沿岸著名市镇，人称"浙闽通衢"。地当南北孔道，舟车驿骑昼夜不绝，官舫贾舶皆泊于此，每到傍晚，沿河帆樯林立。镇因设课税局。明清时，镇区米市、丝市、叶市颇盛。本地的桑叶除饲蚕外，多有外销。浙北苏南的蚕农若桑叶有短缺，多到石门采购。叶行开秤后，叶市每日一市，有时还有早、中、晚市，甚至夜市。各地来的发叶船，每天都有四百艘之多，大大小小的河道中，卖叶、买叶的船只拥挤不堪，"石门叶市甲禾郡"之说，人所共知。镇人施钟成《玉溪杂咏》诗写的即是镇上叶市交易兴旺、河中桑叶买卖、船只拥挤的情景："采桑天气趁晴和，灯火沿溪引客过。争说玉溪开价贱，今朝船比昨朝多。"

纺织业也是石门的一大支柱产业，东庄所产之布，远近驰名。施钟成又有诗云："织成片段赛丁娘，入手戋戋不砑光。昨天金陵标信到，客帮都道要东庄。"

明代时，石门又是江南榨油业的中心之一。榨油所用的黄豆，多采自河南、安徽、江苏、湖北等地，可见通过水运，其经济联系已远至省外。

乌青两镇依水而建，街巷大多沿河布局。大河四匝，市河南北走向，两岸皆是繁华的商业街道。南宋初，大批北方士族迁徙聚居，促进了此地商业的进一步繁荣。"青镇与湖郡之乌镇夹溪相对，民物蕃阜，第宅园池盛于他镇，宋南渡后，士大夫多卜居其地。"（清《（乾隆）乌青镇志》卷一）随着北方移民的大量涌入，店铺、茶肆、酒楼日渐增多，市面愈益热闹，名曰市镇，其规模可埒于府城。至明成化弘治间，此地已成为附近地区的商品集散中心，市镇规模不断扩大。明《（万历）湖州府志》卷三就有"乌镇一区实为浙西垄断之所，商贾走集于四方，市井数盈于万户"之说。到清康熙乾隆时，此地更是成为一个以丝绸、棉布生产和销售为中心的工商业巨镇。蚕、桑、茧、丝、绸，构成了乌青两镇商业活动的主要内容。除此之外，当时的乌青两镇，布业、米业、典当业、钱庄业、衣业、绸缎洋布业、洋广货业、银楼业、旅馆业以及茶楼酒肆，均生意兴隆，盛极一时。至清光绪年间，两镇典当行有十三家之多，钱庄也有多家。烟叶业、襄饼业、山货业、八鲜业、猪羊业、桑秧业、绵绸业、茧壳业、桐油业、羊毛业、酱酒业、南北货业等，在乌青镇的商业格局中，均占有一席之地，因有"百工之属，无所不备"之誉。

明万历间镇人赵垣的坊巷诗，不遗余力地铺陈渲染乌青两镇的繁华景象，南商北贾，集于一市，百般游乐，争妍斗奇："南昌门来河之西，朱窗碧瓦人家齐。三桥贯跨雪苔水，七巷远通花柳蹊。长街迢遥两三里，日日香尘街上起。南商北贾珠玉场，公子王孙风月市。东家户向西家门，四时佳气常春温。吴绫蜀锦店装垛，羌桃闽荔铺堆屯。"（《常春坊诗》）"安利桥头当市心，西达苕城东携李。六街三市斗宝边，百铺诸行闹花里。……沈三食店号楼南，四时珍品夸奇美。"（《仁里坊诗》）"鸡肥米白盆鱼鲜，山收海贩来远船。四方客旅云屯集，一带居民星密连。茅家巷里秋光丽，芙蓉酒馆秋娘媚。钱家桥北左藏园，荷池花榭笙歌沸。"（《通霅坊诗》）"兴德桥头总绮罗，花粉巷里皆珠翠。席行菜市闹喧哗，上坊酒对下坊茶。"（《熙和坊诗》）

石门、乌镇等市镇商品经济的发展，又刺激了周边广大农村蚕桑业等农副业的兴旺，农村经济格局发生了重大变化——经济作物逐渐增多，桑树以外，又有烟叶、油料作物、菊花等。

同时，城镇工商业的繁荣吸引了大批劳动力，他们主要是附近农村的失地农民，还有来自绍兴、南京等地的"打工者"。于是，市镇人口中，外来人口所占比重愈来愈大，其中包括相当数量的流动人

乌镇水上集市 / 陆爱明摄

口，人口结构因此发生了深刻变化。

桐乡的众多市镇中，濮院称得上后起之秀。北宋末年，其地仅为一草市，居民无多，商旅不行。两宋间，山东曲阜濮凤扈驾南渡，定居于此，此后百年，农业、商贸业、手工业均日臻繁荣，市镇始成，并迅速崛起。"农桑、机杼之利，日生万金，四方商贾云集，遂置镇。"（《濮川所闻记》卷四）

入元，此地商贸愈盛。至大年间，濮鉴在大街以西、义路街以东设四大牙行，收贮土绢。四方贩夫走卒鳞集，而无羁泊之苦，因有"永乐市"之名。明初，濮院人口数量进一步增长，"居者渐繁，人可万余家"，逐渐成为江南工商业巨镇。明中叶后，丝绸业勃兴，日出万绸，衣被天下。

随着丝绸业的勃兴，镇区开始有丝行、绸庄之设。清同治、光绪间，大有桥街、义路街、女儿桥街均开设有丝行。民国时，丝行则荟萃于义路街。生丝的销售，除供应本地外，另有苏、沪、杭、绍、南京、镇江、盛泽各帮。"其开行之名，有京行、建行、济行、湖广、周村之别，而京行为最。京行之货有琉球、蒙古、关东各路之异。"（沈廷瑞《东畲杂记》）新丝在小满时节开秤，如遇客帮需货而丝价提高，不仅本镇，甚至连石门湾等处的乡丝也麇集濮院。

光绪、宣统间，濮院绸庄多在苏沪等地开设分庄。民国时，绸的销售除福建、广东、两湖及附近城镇外，以北京为多。

濮绸甚至远销海外。无论是胡琢的《濮镇纪闻》，还是沈廷瑞的《东畲杂记》，都提到当时濮绸贸易不仅遍布大江南北，而且远至海外，琉球、日本等地的"番舶"，频繁往来于濮院。

"吾里机业十室而九，终岁生计，于五月新丝时为尤亟。富者居积，仰京省镖至，陆续发卖。而收买机产，向传设市翔云（观），今则俱集大街，所谓'永乐市'也。日中为市，接领踵门。至于轻重诸货，名目繁多，总名曰'绸'。而两京、山东、山西、湖广、陕西、江南、福建等省各以时至，至于琉球、日本。濮绸之名几遍天下。"这是《濮镇纪闻》中的记载。

沈涛《幽湖百咏》中记载濮绸生产与交易的诗篇则更为形象：

> 绸市原称永乐乡，万家灯火尽机坊。
> 自从番舶通商后，日下镖来百万装。

总之，濮院古镇，早在几百年前就已经凭着丝绸这张响当当的名片，跻身于国际商贸格局中，大放异彩。

随着丝绸业的勃兴，其他行业也迅速崛起。镇上的粮店、桑叶行、烟叶行等多有开设。"濮烟"不仅行销于江北各地，而且在夏秋之间，江淮客商麇至，大量采购，然后转销海外各国。

检索地方文献，发现桐乡一地的海外贸易，由来已久。

历代《乌青镇志》中，都载有"波斯巷"的地名，惜乎未能指明此地名始于何时。波斯巷在兴德桥南。明万历三年（1575），同知刘治辟为大街，俗名官巷。进巷西行八十步，北有大井。波斯巷在南宋时，就以巷内有"八仙居""南瓦子"等娱乐场所而著名。沈平《乌青记》载：巷"有八仙居，技艺优于他处，宋末兵火废"。赵垣《感古集》也说："内有南瓦子，即今院子也，俗呼南棚前。"他所作的《常春坊》等坊巷诗更是将这些景象描摹得十分逼真，如闻似见："北瓦子连南瓦子，李娟张态夸娇比。八仙楼与天隐楼，银筝象板温柔里。……花街柳陌盛何处，波斯巷里南棚前。"与之相呼应的，练市附近又有波斯堰，时属归安县。《练溪文献》载："波斯堰，明大学士施凤来祖居也。"乌镇当时又有北瓦子巷，在安利桥南一百步。《乌青记》记载：北瓦子巷系"妓馆、戏剧上紧之处"，只是湮没既久，如今已了无踪迹。

早在汉唐时代，就有穿长袍、牵骆驼的波斯商人来到中国。最初的活动范围，仅在巴蜀、云南等中国西南地区。

唐朝以来，有不少信仰伊斯兰教的波斯人、阿拉伯人定居中国各地。元朝时又有大批西域商人迁入中国，他们同汉、蒙等各族人民长期杂居通婚，逐渐形成一个新的民族——回族。

随着中国同波斯的交往日益频繁，越来越多的波斯商人来到中国，带来了中国需要的商品，同时又将丝绸、瓷器、茶叶等中国特产运往地中海地区。乌镇及其附近地区既然有波斯巷、波斯堰等地名，则可以推断有波斯商人涉足于此，从事跨国贸易，并留下了至今仍有印记的商贸活动踪迹。

宋室南渡后，以临安（今杭州）为行在。无数的中原士民扶老携幼，举家南迁，以躲避战乱。故而朱熹有"靖康之乱，中原涂炭，衣冠人物，萃于东南"之说。桐乡在杭州、嘉兴之间，运河贯通其间，水上交通甚是方便，因而北方士民纷纷在境内安身立命，以图发展。人口的激增，先进生产技术的传入，带来的直接影响便是江南运河区域农商经济的空前繁荣，酿酒业、冶铁业、纺织业、榨油业、木业、铜器加工业等手工业发展迅速，物阜民丰，商贩骈集，百工之事咸具。

清末，崇福东横街手工作坊林立。漆木作胡永茂号鼎盛时，资本近万银元，雇用木工、漆工师傅二十余人，可定制各种高档家具，一般家具则向海宁长安镇、德清新市镇及本地作坊批发。抗战时，又在立总管弄口西侧，开设了县内第一大嫁妆店——永茂新号。其时江西人杨荣盛开设的漆木作，规模与永茂老号相当。

昔时，乌镇的竹器业、藤业等手工作坊皆盛极一时。

东古山村制作草箆、茧箆、杨梅箆、枇杷箆，蒋堡村与北蒋村制作叶箆、淘箩、畚箕，北庄村生产蚕匾、簸匾、团匾，陈庄村生产扁担、竹筷，汤堡村制作竹椅、摇篮、坐车，高田村制作笤帚、洗帚等，皆价廉物美。清同治、光绪间，竹器业渐移至南栅。初时张恒兴规模较大，嗣后陆续有陈萃森、恒森、泰源盛、公和、恒远盛等多家。

乌镇陈庄村，向以竹器编织闻名于世 / 徐建荣摄

镇郊陈庄村不仅是竹器编织的专业村，而且成了山竹贸易的集散地。村中，几乎家家户户都忙于竹器生产，世代相习，技术高超，所制竹器精良耐用，颇得各地用户青睐。"朱村北去接陈庄，春至红闺事渐忙。多买江干黄竹子，趁闲预织女儿箱。"即便闲时，村民所业，也是竹器的活。

桐乡境内，沿着运河展开的经济带，各种手工作坊星罗棋布，其中尤以元代开始兴盛，日出万绸、衣被天下的濮院丝绸业，明清直至民国时长盛不衰的炉头冶炼业，遍及城乡各地的榨油业贡献最大，影响深远，历来被誉为农耕时代本土手工业作坊三只一飞冲天的"金凤凰"。

机声轧轧织绸忙

南宋偏安江南以后，钱江两岸乃至整个江南地区的蚕桑生产快速发展，规模渐超北方，丝织品销路广泛，商品生产和交易空前繁荣。其时崇德（今崇福镇）一带"缫丝织绢"的家庭手工业已颇具规模。元明时，蚕桑业不断发展，"蚕丝成市"（王穉登《客越志》）。用木制丝车缫制土丝，几乎成为村村户户重要的家庭副业。明李日华《紫桃轩又缀》记载，某日作者船行塘河，傍晚时骤雨未歇，不得已夜泊崇德。虽是黄昏时分，但充塞两耳的，依然是运河两岸响彻不停的缫丝声。仲宏道《石门行》诗对此也有形象的描述：

> 忆昔太平日，石门行李稠。茧缫石门丝，机纺石门绸。
> 夹岸烟柳茂，商贸群嬉游。

崇德如此，桐乡亦如是。明代朱逢吉《语溪十二咏》中《桐乡夜织》《西村农乐》诸诗有"机声交轧轧，灯火竞辉辉。贾客留金去，儿郎出市归""入村机杼响，当树桔槔悬"等句。农耕时代，乡村社会中，男子顶风冒雨，辛勤稼穑，妇人则忙于纺纱织布。入夜，油盏昏暗，辨物不清，却依然机声轧轧，纺车吱吱，夜作不歇。

北宋灭亡之际，濮院只是一个隶属于崇德县梧桐乡的村落草市，人皆不知其名为何。战乱之后，在这里落户的北方居民不少，其中包括山东曲阜濮凤一族。晚清时，岳昭垲著《濮录》，记述濮院由草市而渐趋繁荣终成市镇的过程："南宋高宗建炎三年己酉，车驾幸秀州，曲阜濮凤扈从至浙，过崇德县之梧桐乡，感凤栖梧事，卜居兹土。六子俱贵，而孙辈更继起蝉联。"

随着大批北方居民的迁入，濮院人口迅速增加，经济发展，商贸和手工业日渐繁荣。元至大间，濮鉴在大街以西、义路街以东设四大牙行，收贮土绢。四方贩夫走卒千里来奔，麇集于此，而无羁泊之苦。然而，元至正十七年（1357）杨完者率兵入镇，民房十之六七悉遭焚毁，"阛阓机杼者杳然散去"，阖镇元气大伤。元末明初，濮院人多方筹集，最终捐粮十万石给张士诚之婿潘绍元，全镇因此得以保全，绸织业亦逐渐恢复。明初，方孝孺《泊舟幽湖》诗有句云："濮院旧家今何在？到处机声说女红。"此时镇上居民，已能坐收机杼之利了。

随着人口数量的进一步增加，"居者渐繁，人可万余家"，最终完成了由乡间草市转变为江南工商业巨镇的历史进程。明中叶后，此地绸织业更趋兴旺，日出万绸，衣被天下。沈廷瑞《东畲杂记》记载："自镇及乡，北至陡门，东至泰石桥，南至清泰桥，西至永新港，皆务于织，货物益多，市利益旺，所谓'日出万绸'，盖不止也。"

《（民国）濮院志》卷十四还专门用数千字的篇幅详细记述织机的构造及工匠织绸的技术要领："机杼为阖镇恒产，男妇借此生育者，累累皆是。计其名，有络丝，有织工，有牵经，有刷边，有运经，有扎扣，有接头，又有接收，有收绸，有看庄，或人兼数事，或专习一业……"

朱彝尊《鸳鸯湖棹歌》中的"春绢秋罗软胜锦，折枝花小样争传。舟移濮九娘桥宿，夜半鸣梭搅客眠"，程宗坤《桐溪百咏》中的"何处金梭织未停，九娘桥外一灯青。倩郎快了机头角，花样翻新瓜蝶形"，张弘范《幽湖竹枝词》中的"近来风气学苏州，热闹真如大码头。南北两京十三省，满装行李置花绸"，都形象地描绘了当时濮院城乡比户辛劳、夜以继日、勤于丝织的场景。此种情状，一年四季，几乎从不间断。"机业之家，男妇最勤，鸡鸣而起，冬则夜半，籊灯纺络之声，比户相闻。惟蚕时少辍，然亦有终岁不停者。此风他处所少。"

梳理濮院的丝织业，从南宋至清末，大致走过了四个阶段。南宋淳熙以后，定居于此的濮氏家族开始尝试丝织，其时的主要产品是绢帛。经过二百多年的发展、改良，到明隆庆、万历间，由土机改为新式纱机，"制造绝工，'濮绸'之名，遂著远近"。清道光以后，参仿湖绉制造工艺，除了绸以外，绉的生产工艺也日臻成熟。到了清末，参用铁机纺织，于是在木机绉以外，又有铁机绉。张文镐《皋庑随笔》对此记载颇详："丝织品，濮院只出绢帛。后有沈大德者改为绸，远方称为'沈绸'。清道光时，外祖父曹芝山公偕某至湖参观花绉，归而仿之，遂改为绉。今更易木机为铁机矣。"

正是由于一代代人的辛勤劳作，艰苦创业，濮院的丝织业才闯出一片灿烂的天地，无论生产规模还是品种数量都独领风骚，海内争夸，故有"绸白、丝净，组织工致，质细而滑，柔韧耐久，可经浣濯"的评价。不仅本土诗人的《幽湖竹枝词》对其竭力赞誉："机坊今岁竟如何，丝价平平贵不多。昨夜邻家能快活，手抛梭子唱山歌。"（郑世元）"今年生意胜前年，织挽工钱总要添。东手接来西手去，果然梭子两头尖。"（张弘范）甚至连浙东鄞县的著名史学家万斯同也尽情赞美："独喜村村蚕事修，一村妇女几家休。织成广幅生丝绢，不数嘉禾濮院绸。"

道光以后，濮院绸业渐衰，邻近的江苏吴江县盛泽镇后来居上，丝绸业的重心逐渐移至盛泽。太平天国运动结束后，濮院丝绸业渐有转机，然而终不逮明隆万、清康乾之盛。

虽云衰落，但直至民国前期，丝绸业依然是濮院镇主业。机户自镇及乡，四隅皆有。镇区的丝行绸庄，尚有四十余家（一说十八家）。丝行无不兼营绸业，绸庄虽不业丝，但也须购进新丝贷于机户，发丝收绸。1924年，江浙爆发齐卢军阀之战，濮院所产丝绸外运路线顿时中断，导致丝价一落千丈，丝行绸庄倒闭大半，机户亦多关机停产。抗战胜利后，濮院丝绸业稍有恢复，然不过数年，即迅速衰退，辉煌六百年的濮院丝绸业从此走向衰落。

真金不怕红炉火

明嘉靖间，沈铧（字东溪）携家人从湖州竹墩迁居柞溪（炉头镇），在镇的两端辟地十亩，开设工场，开炉冶炼铁器。由于东溪的悉心经营，生意日益兴盛，冶坊的规模不断扩大。

东溪信佛，与凤鸣寺方丈交厚。嘉靖三十三年（1554）倭寇侵扰沿海，东溪将工场移至城中，借凤鸣寺外隙闲地临时经营，为寺院熔铸钟鼎烛台。三十五年，倭寇占嘉兴，攻皂林，围困桐乡县城四十余日。东溪献计于巡抚阮鹗："目下兵尽矢穷，人无寸铁，惟有集城中锅釜铁器，熔汁泼洒。"阮鹗依计而行，毙敌无数。倭寇大惊溃败，桐乡一城得以保全。寇平后，巡抚手书"退寇全城"四字，制匾悬挂于其宅，以为表彰。东溪后人，继承祖业并将其发扬光大，从柞溪到乌镇，沈氏冶坊绵延四百余年。

沈氏制作的铁器，既有富户世家所需的钟鼎礼器，又有平民百姓日常不可或缺的生产、生活用品。随着产业的逐渐扩大，沈氏冶坊不仅在附近设店销售，还在松江、嘉善、嘉兴、硖石、湖州等地各大杂货店挂起招牌，吸引顾客。清《光绪桐乡县志》称"冶坊铁器，产炉镇。浙西冶业，惟此一处"。一应铁器，"大江南北，咸取给焉"。显然，沈氏铁器已经占领了江南市场。龙凤熨斗，是沈氏冶坊的王牌产品，畅销不衰，驰誉大江南北。

当时炉头镇上，南起南总管堂，北至文星桥，皆是沈氏的冶炼工场。每值夜间，但见炉火映照，红光弥漫柞溪上空，甚至在十里八里以外，也能望见炉火的光焰，此为炉头镇最醒目的标记，十分壮观。陈沄《冶塘棹歌》用十分形象的语言描绘了这一场景，可以诗证史："家住炉溪曲水前，铸金成釜旧相传。沿塘时有商船泊，夜半惊看火烛天。"诗下有注称："柞溪居民冶釜为业，故名冶塘，又名炉溪，俗称炉头。"诗中所述，与一千多年前诗仙李白笔下的"炉火照天地，红星乱紫烟"，可谓异曲同工！

清同治五年（1866），沈氏在青镇开设分场。乌镇有宋堡巷，当年冶坊就设于巷内。又有冶坊桥，桥的南堍就是冶坊，桥名由此而来。冶坊直到清光绪年间才关闭歇业。

青镇、炉头两处冶坊，共设冶炉7座。每年元宵节后，即开工铸造，至立夏停工。下半年中秋节后开铸，至年终方歇。冶坊内，管场、总管之下，各有分工，有浇铁（管铁水）、领挡（管模子）、风挡（管风箱）等。冶业工作十分辛苦，对技术的要求又高，故本地人极少从事这一行当，冶工几乎均来自无锡。直至清光绪元年（1875），乌镇西栅尚有顺昌、福昌冶坊开炉。七年（1881），顺昌、福昌与沈亦昌合组开设同昌冶坊。两年后同昌冶坊难以为继，遂告歇业。沈亦昌亦备受外地铁器的冲击，惨淡经营，苦苦支撑。

白铁师傅在修补水壶 / 崇福镇政府供图

抗战军兴，烽火遍地，冶坊辗转搬迁至盐官、硖石、嘉兴、苏州等地。抗战胜利后，方迁回乌镇。世纪之交，乌镇旅游开发兴起，西栅景区内，亦昌冶坊等仿古建筑次第重建。

冶业又分"大炉""小炉"两种。大炉专铸锅炉，小炉则铸鼎、钟等物。

炉头的小炉冶铸有过辉煌。随着小炉的兴旺，作坊逐渐向北拓展。小炉平时不开长炉，如遇客户订货，即按样制坯。精细的铸件，仅制坯就要较长时间，名曰"冷作"。冷作完工，便开炉浇铸，名曰"热作"。绝大多数铸品都是一胎铸一件，铸后即废。庙宇的鼎炉钟磬之类，在铸件上均须刻上庙名以及捐助者的姓名，而且每件铸品的样式花纹各不相同。香炉有方体虎脚，也有圆身狮爪；蜡台形态各异，有圆有方，有仙鹤、滚龙状的，也有其他动物形状的。工艺更是精巧细致。

小炉冶铸的秘诀在于制胎，工艺在儿孙间世代相传，绝不外泄，甚至连婿戚也排除在外。其经营、生产都由自己人操办，开炉浇铸的炉场工，则雇四周乡农，工毕便回家务农。

小炉的原材料亦与大炉有别。大炉用的原料，小炉可以用，小炉用的原料，大炉则不能用。其原因是小炉生产的以厚铸件居多，炉温要求高，而铁的熔点也高。大炉的燃料是栗炭，不可能熔化厚重的铁块，而小炉的燃料是焦炭，可以提高炉温，熔化厚重的铁块。清末至民国，小炉的燃料大都由上海培昌铁行供应。

小炉业后由沈东溪大房后嗣沈文光继承，坊号"沈万聚"。同治元年（1862）又从沈万聚分出"沈万兴"，择址南总管堂桥之南。沈万聚老号则在文星桥南。"沈万兴"在太平天国运动时为乱军所焚。沈万聚老号则昌盛如故，后分为"沈万聚正记炉坊""沈万聚泉记炉坊"。1938年日军侵华，两家小炉连遭焚毁。翌年，"正记"业主病逝，炉坊

乌镇西栅景区内重建的亦昌冶坊 / 桐乡市委宣传部供图

亦随之不存。"泉记"后迁乌镇，经营至二十世纪五十年代初。

星罗棋布榨油坊

明代，石门镇已是江南榨油业的重要基地，万历十七年（1589）贺灿然《石门镇彰显亭碑记》载，当时石门湾有油坊二十余家，遍布镇域城乡。"镇民少，辄募旁邑民为佣。……二十余家合之八百余人。"

以镇上的聚和油坊为例，该坊计有菜油车十八部，豆油车六部，柏油车两部，共二十六部车，备有三十一头牛，四十四间房子，工匠约一百人，年均约需油菜籽七十万斤，每百斤大致可产油三十七斤。

直至清末，石门仍有行会组织油车公所，设于通市桥宁绍会馆内。石门镇附近油车桥一带有6家油坊，鳗鱼桥、亭子桥、沙渚高桥、店家塘（悦来）、店街坊（源来）、环桥头、五河泾等地，都设有油坊。

清光绪间，厚成油坊有几十头牛突遭瘟毙，致使其败落破产。后来洲泉吴公和油坊出资接收，更名"敦和"。正常年景，其生产能力每年耗用原料大豆二万石，菜籽一万石，乌柏籽一万担，芯籽六千担。

日军侵华，石门等地的榨油业受损严重。1937年11月，敦和油坊屡遭日军空袭，经理又被土匪绑架，损失甚巨。1941年起开始缩小营业规模，至抗战胜利前夕已近乎停业。1950年6月，敦和油坊由硖石信大油坊部分股东合伙租赁，更名信大友油坊，于1953年12月歇业。

抗战以前，崇德城区尚有德甡、裕和、余长三家油坊。日军侵华时，国土沦丧，部分手工业主避难乡间，作坊多有关门停业者。至抗战胜利，业主陆续回镇复业。同时，新作坊亦时有开办。其中油坊业有德胜厚、同益、恒孚、义兴、公兴五家，总资本71万元（旧法币），职员75人（打油工人不计）。最大的北门公兴油坊，有20万元资金，18名职员。这一时期的油坊业，与其他手工业相比，规模相对

油坊中用牛牵引的石磨盘。时过境迁，已废弃不用。但见它静卧在荒野，似在默默诉说着昔日的辉煌 / 朱晓丽供图

较大，有厂房，并雇有职员、技工、粗工等。

光绪二十四年（1898），谢一山在濮院创办甡记油坊。坊内有直径15米的大碾场，用两个2米高的花岗石巨轮连成轴，由两头水牛牵动。并置洋碾两部，火磨三部，菜磨三部，豆磨两部，菜车九部，豆车四部。甡记油坊的产品有菜油、豆油、芝麻油、花生油、柏油、棉籽油等。

油坊作业，四季飘香。有《打油歌》记其事：

　　　　炒香菜籽制成饼，放入榨床人打油。
　　　　辛苦男郎石槌击，碾场转圈累朦牛。

其时，濮院还有杨家、万泰、徐恒源等油坊营业。

清道光六年（1826），徽州人吴石琴在洲泉南市梢创设吴公和油坊。光绪二年（1876），在北市梢开设分号，称吴公和北号，即北公和（俗称北车）。日军侵华后，东北大豆原料中断，加上其生产方式与经营方法不适应时代发展，更因社会动荡，吴氏油坊的经营逐渐衰退。南、北公和在抗战胜利后虽有所恢复，但其资金、营业范围只及战前的10%和30%。后又因货币贬值，南公和于1947年春歇业。总之，洲泉的吴氏油坊在杭嘉湖地区颇负盛名，自创办至衰退历时130年之久。1946年10月22日《新洲泉报》刊登《衰老了的南北公和油坊》一文，详述南北公和油坊衰落的原因，"最主要的还是因为通货膨胀，币值贬价，与国内工业衰落原因似同一辙"。

油坊的经营方式都是购进原料，制成商品后以批发业务为主，小部分在门市出售。同时也兼营代客加工业务，即农民拿来油菜籽或大豆，油坊将其加工成菜油、豆油和菜籽饼、豆饼，然后收取加工费。豆油、菜油为常年生产，柏油只是冬春约三个多月的季节性生产。

大豆作为榨取豆油的原料，崇德县境内虽有种植，但主要来自东北大连及四平，由上海、常州等地辗转运至作坊。"九一八"事变后，大豆主要来自苏、鲁、皖、豫等产区。抗战全面爆发后，则仅靠门市收购本地大豆。豆油主销杭州、湖州等地，豆饼则供本地农家作猪饲料或肥料，亦销往德清、海宁长安等地。崇德虽产油菜籽，但远不能满足油坊需求，故多向平湖、海盐、嘉善、新篁、朱家角、泗泾、张堰、芦墟等地采购。抗战全面爆发后，则全部由门市收购本地油菜籽。菜油销往杭、嘉、湖各城镇；菜饼销往上海或钱塘江北岸植棉区作肥料，亦销往菱湖地区作鱼饲料。柏子大多为门市收购，主要来自县境运河以东地区。柏油销往常州、杭州、嘉兴、湖州等地各浇造作坊制造蜡烛，也销往上海等地作肥皂原料。

　　毗邻浙江的皖南徽州府，素以多山著称，随着人口的繁衍生息，人多地少的矛盾愈来愈突出。逼仄的生存环境，迫使众多徽州人走出闭塞的山区，另谋生路。

　　当时，不仅成人要背井离乡，外出谋生，还有大批少年儿郎也要随着大人一起跋山涉水，出门当学徒，学做生意。故而徽州一地，向来就流传着"前世不修，生在徽州，十二三岁，往外一丢"的谚语。虽然为生活所逼，孩子们告别爹娘，陆续离开家乡，但家里长辈，无时不将出门在外的孩子牵挂在心："……还思弱岁告别之时，为父母者无限离愁，依依难舍，此情此状，不堪描摹。即至音问传来，枝栖安适，高堂悬念，乃得稍舒。父母爱子之心，子可一日忘乎？"

　　徽商们从大山深坳里走出来，纷纷将目光投向了近在咫尺的江浙沿海地区。明清两代，随着商品经济的发展，这些地区开始产生资本主义萌芽。京杭大运河贯通江浙两省，然后继续北上。长流的运河水为各地商人提供了极大方便，也带来了无尽商机，造就了这些地区的繁华和富庶。故而《宋史·河渠志》有此断言："漕引江湖，利尽南海，半天下之财赋，并山泽之百货，悉由此路而进。"沿着运河一路前行，一个又一个工商业市镇次第崛起。这些市镇的共同之处是，或沿河而建，或运河从镇区穿越而过。新兴的经济业态在这里展现出众多的商机，正在另寻出路的徽州商人在这些江南市镇找到了立足之地。

从皖南到杭州，新安江由窄而宽，一苇可航。众多徽人，正是沿着这条水上走廊，先在杭州歇脚，然后从这里中转，泛舟于运河万顷碧波之上，凭着商人敏锐的嗅觉，物色最适合自己的落脚点，购房置产，徐图发展。河中帆影点点，河畔徽商麋集，一幅幅运河风情图渐次绘就。运河街区逐渐发展，成为城镇的商业贸易中心。

"无徽不成镇。"桐乡境内，运河边的诸多市镇，陆续有徽州商人弃船上岸。若翻阅清《光绪桐乡县志·人物志》，便能发现其中有四十七位传主皆为徽籍，徽人旅外的规模于此可见一斑。这些徽人大多擅长生意经，"自安、太至宣、徽，其民多仰机利，舍本逐末，唱棹转毂，以游帝王之都，而握其奇赢。休、歙尤夥，故贾人几遍天下"（张瀚《松窗梦语》卷四）。

从杭州沿运河而下，崇德县（今崇福镇）便是一大繁华去处。镇上徽籍商民与日俱增，开设茶漆业的竟是清一色徽州人，雇员亦从家乡带来，他籍人士极难涉足。直到民国时，徽人在镇上经营的茶叶店犹有方同有、东志大、西志大、立大隆等七八家。其他市镇如乌镇、濮院、洲泉、石门等亦如此。故民国二十五年（1936）重修《乌青镇志》有言："吾镇茶叶一业，俱系徽籍人。"其他如木行业，业主亦大都为徽人。婺源旧时一直归属徽州，宋元以降，婺源商人经营木业代有传统，世所闻名。他们在桐乡境内经营木业的，大有其人。典当行业，也是徽商集中之处。江南地区典当，皆施行徽州帮"法度"，故徽人在其中每每充当重要角色，几乎所有典当，都以徽州朝奉出名。坐柜台的朝奉，每次收当物辄大唱徽调。在徽帮职员中，还有人专职书写当票，人称"徽字先生"。"宁波帮"商人则以经营药材业为主，二十世纪四十年代末，药店经理和职员中仍有不少宁波人。江西人大都开设点心、菜馆、家具之类的店铺。金华人主要从事竹编、

崇福包角堰桥（南三里桥）。桥后即当年会馆建筑群 / 汤闻飞摄

木匠等手工业。绍兴人则以经营硝皮作坊为主业。

这些皖、宁、绍、赣籍商民，逐利他乡，随着生意规模的逐渐扩大，他们越发需要一个能维护经济发展、保障自身利益的环境和秩序，地域性的商帮由此应运而生。陆续设立的会馆，成了同籍商人的聚会场所。

会馆是客商休憩宴飨之所，也是联络乡谊、举行祭祀的精神家园。

一个会馆之内，成员往往是同籍兼同行，"同乡"成为一种共同身份，个人的地位高低和贫富差异倒在其次。数百年来在社会动荡、经商不易的大环境下，作为"乡土之链"，会馆始终担负着呵护侨寓异地的商客游子，为他们提供生活依靠和精神寄托的历史责任，对促进当地经济发展，维护商人利益，起到了重要作用。

明清时期，崇福南三里桥北堍，就在运河故道边的咫尺之地，新安会馆、宁绍会馆、江西会馆、金华会馆等如雨后春笋般次第兴建。它们既得舟楫之利，又有通衢大道连接镇区。这时候的会馆便成了这些商帮的标志性建筑。久而久之，"会馆"二字甚至被赋予了地名的意义。

"池馆翠深处，宽间称客居。"一座会馆就是一段历史，不同类型的会馆建筑，显示出多元文化及民俗风情的韵味。皖籍商人因为人数最多，经济实力最为雄厚，故而在众多会馆中，新安会馆尤为雄壮秀美，工艺精巧华丽，犹如世家巨富的厅堂一般。新安会馆以下，宁绍会馆次之。江西商帮素以人数众多、吃苦耐劳、活动范围广著称，旧时崇福、乌镇等地均有他们的商号和会馆。在乌镇南街祝家巷北有金华会馆，由旅镇的金华商人公建。

各会馆均设有关帝厅，供奉关云长神像。外籍人地域观念极强，提倡效法关云长，重义气，讲信用，以达到团结乡人的目的。每年的五月十三"关帝诞辰日"，他们都要抬着关帝的神像游行巡街。

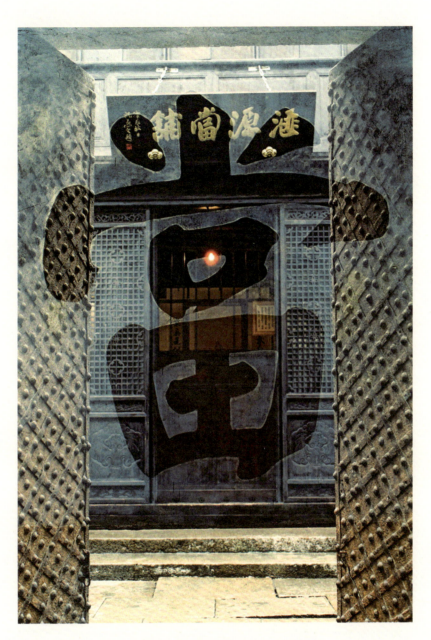

位于乌镇常丰街的汇源典当铺 / 李渭钫摄

会馆通过建筑造型、布局以及木刻、石雕、彩绘等装饰图案，渲染浓烈的吉祥神圣气氛，不仅体现了崇商意识，更宣扬了"诚信为本"的精神。这种隐藏在装饰图案中的"诚信"道德教化，让会馆的商业文化与建筑艺术完美地结合在了一起。清末，原洲泉屠家坝篆刻家胡匊邻一族的胡氏家庙庑壁嵌有宋米芾行书《登岘山》直幅石刻，后来被移嵌于崇德新安会馆关帝厅壁中，可惜在抗战时期为日军所毁。

会馆还为商人们结交地方乡绅、联络社会人士提供了适宜的场所。商人之间、商人与地方士绅之间的交际可以有各种缘由。每逢聚会，地方上的诸多名人、政府官员、胥吏，以及方方面面的关系户便聚于一堂，或品茗听戏，或在酒桌上觥筹交错。就在这推杯换盏或品咂香茶之时，一桩大买卖、一个重大的商业活动也就定下来了。会馆里还经常有演戏、唱曲等娱乐活动。借助会馆这个平台，商贾文化、饮食文化、梨园文化等交织融合，给后人留下了一份独特的文化遗产。

会馆内，又有义院（义园）之建，故亦兼具社会慈善组织的职能。

其时，崇福新安会馆等处就建有大片屋宇，用作殡房，同乡商民，甚至是本土居民亡故后，棺柩多有寄放于此者。1937年，崇德万森酱园老板程振翔与世长辞，棺柩暂厝会馆殡房多年，直到其夫人去世，后辈才将他们夫妇二人一起落土安葬。桐乡档案馆内保存着一份资料，说的是昔时崇福镇上有叶炳松其人，徽州籍，在春风头经营一爿油条店。小本经营，也攒不了几个钱，但他却十分仗义，颇重乡谊。一个老乡故去后，灵柩暂厝会馆内。他即向管理方提出要求，将棺材从会馆中移出，亲自护送回徽州原籍。

乌镇、濮院等地的会馆、义院（义园）亦如此。

道光初年，乌镇不仅建有新安会馆，而且在西栅外通湖桥西侧，还有徽人后裔一直居住。后来考中进士的程同文募建的新安义园殡房即择址于此，客殇的徽籍商民大都停厝其中。太平天国运动时遭毁，同治初复建。

民国二十五年（1936）重修的《乌青镇志》卷二十三《任恤》还记载了宁绍义院的资料："宁绍义院，在青镇型字圩，芙蓉浦西，基地四亩余，为宁波、绍兴两县人集会、寄殡之所。创始于清同治丁卯，落成于光绪丙子。……其始，只关帝厅一所，殡房十九间。后又陆续添造，共计殡房三十七间。又出资修筑公路一条，自院门起，至密印寺旁路口止。最近又经董事钱彰、黄显达等集资，添建围墙及纪念祠三间，特别殡屋十二间，以供外籍人寄柩之用。综计前后共有厅堂两所，殡屋四十九间。并于宣统年间起附办施材善举……"金陵义院位于芙蓉浦西（十三房头），由南京人王圣书于同治三年（1864）创办，建殡房十间，并置公葬地两处。

《（民国）濮院志》卷九对会馆和义院（义园）亦有记载："新安义园，在桐界赵家埭，为徽籍客死者停厝之所。正厅曰'崇义堂'，粤乱时未被毁。同治初，歙县方锦文等重修。光绪间，添建第二进，并增置义葬地五亩四分。""宁绍会馆，在桐界洞桥坊。清嘉庆年，周春田、胡苍州等创建。屋凡三进，粤乱时未被毁。光绪八年，管春林、毛兆祥、朱立斋等筹款，添建东西殡房二十余间，有义葬地八亩有奇，赁房三间。"这一年，镇人仲湖还撰文并题写《重修宁绍义园碑记》，将石碑立在保元堂后。

1949年以后，随着社会的变迁，高大轩敞的会馆建筑逐渐失去了先前的功能，陆续移作他用，大多改为粮仓。就这样，曾名噪江南的各地会馆，走向了衰落和沉寂……但自二十世纪八十年代起，历史又翻开了新篇章，濮院羊毛衫市场、崇福皮草市场等商贸交易场所，万商云集的盛况再度显现，行业公会一个接一个地应运而生。会馆的形式和名称虽已不再，但它的精神内核却延续下来……

酒香不怕巷子深

　　宋人善饮。举国上下，饮酒成风，酒的消费达到了惊人的程度。而作为政策导向，朝廷非但没有限制对酒的大量消费，反而是"唯恐百姓不饮酒"，借此广征酒税，增加国库收入。否则，内政外交，边事纷沓，如此庞大的费用开支又从何而来呢！

　　钱昱，吴越王钱佐长子，世居崇德，"饮酒至斗余不乱"。清《（光绪）石门县志》卷八中记载的这一史事，便是一个很典型的例子。

　　后晋天福四年（939）置崇德县，县治在今崇福镇。北宋嘉祐间，县城资福院内建有平绿轩，成为文人学士宴饮雅集之所。隋唐运河故道之畔，又有春风楼，由南宋庆元间知县奚士达所建。文人墨客亦有"三载笑谈杯酒里，一时人物画图中"等诗句，渲染酒风之盛。

　　一邑之内，若论酒楼茗馆之林立，名酒佳酿之豪饮，乌青镇则更擅胜场。

　　宋室南渡以后，中原士大夫纷纷寓居乌青两镇，高楼宅第栉比，南北百货骈集，直接促进了市廛勃兴，经济繁荣。人物风流，摩肩接踵；酒肆茶楼，比比皆是。八仙楼、庆和楼、太平楼、天隐楼、菡萏轩、和丰楼、芙蓉馆等，无不盛极一时。南宋沈平所撰《乌青记》中就有记载："街北有和丰、庆和二楼，皆酒社也。巷街最阔。"明

《（万历）乌青镇志》卷一《门坊街巷志》中，所载更为详赡："天隐楼在甘泉巷，八仙楼在波斯巷，和丰楼在西寺巷，北庆和楼在上智潭北，第一春亭在官酒务内，皆宋之官舍也。或为酒楼，或为茶坊，皆极一时之盛云。"清康熙间张园真《乌青文献》卷二对第一春亭的介绍尤为具体："酒坊巷，在通安桥南，至广生桥。按，《（乌青）记》云有酒务官衙，在慈云寺后，溪亭三间，扁曰'第一春'。"

又有杏花庄，在普静寺南长明堂巷，颇具烟水林墅之趣，内有园楼、酒肆。每当春光明媚之时，杏花烂漫，文人士子多在此聚饮宴乐，《乌青记》说它"仿佛武岭花园"。

后来，昔日热闹的杏花庄渐次衰落。到了明代，已是野田败草，荒芜一片；昔日繁华，早已不再。潘佐目睹这沧桑陵谷，盛衰更迭，不由得感从中来，于是有《杏花庄》之吟：

> 风日晴和二月天，杏花开遍玉楼前。
> 香浮银瓮新醪熟，声遏行云古调圆。
> 车盖往来多远士，壶觞倾倒总游仙。
> 可怜一段繁华地，禾黍离离作野田。

遗迹虽已湮没，但直至明弘治初，青镇居民掘地时，无数的酒罂被逐个挖出，一字排开，曝露于苍穹之下，似在默默诉说当年的繁华和世事的无常。

北宋立国，承袭前朝制度，对酒业实行控制或垄断，严禁私人制作或买卖酒曲。宋太祖赵匡胤登上皇位不久，即颁布《禁私造买卖酒曲诏》，"应百姓私造曲十五斤者，死；酤酒入城市者，三斗死；不及者，等第罪之。买者，减卖人罪之半。告捕者，等第赏之"。

据《宋会要辑稿》《文献通考》等文献记载，北宋熙宁十年（1077）前，有酒务1861处。仅崇德县境内，就有石门镇和洲钱（今洲泉镇）两处酒务。

南宋以后，随着商品经济的不断发展，国家财税结构亦开始发生重大变化，农业税的比重下降，商业税的比重上升。淳熙到绍熙年间，非农的财政收入接近85%，农业税变得微不足道。市镇商税中，尤以酒税最为丰厚，相关事务亦较为繁杂。

宋李心传《建炎以来朝野杂记》记载，至乾道间，行在七酒库日售钱万缗，每岁收本钱一百四十万，息钱一百六十万，曲钱二万，而岁额之外，羡余献于内帑者，又二十万，其后增至五十万缗。

清《（光绪）石门县志》卷三亦有这方面的数据，宋代，县境内"所资以取给者，酒税而已。……县市一坊，收日额八十三贯四百八十三文。"

由于商税在国家赋税体系中越来越重要，加之市镇经济的发展，朝廷开始关注县以下的市镇。《宋史·职官志》："诸镇置于管下人烟繁盛处，设监官，管火禁或兼酒税之事。"

赵宋宗室赵善应，原本居住开封。战乱骤起，中原地区陷于金兵铁蹄之下，百姓不堪蹂躏，纷纷举家南渡，遂形成史上空前的移民潮。赵善应一家亦一路颠沛，后避居洲钱。其时崇德一邑酒业已具相当规模，赵善应就做过榷酒务的小官。

南宋时，乌青镇已成巨镇，中央政府直接派遣镇官和酒务官兼辖两镇，而不受州县行政体系的管辖，其性质颇有点像今天的经济特区。据沈东皋《乌青镇酒正题名记》，酒正之职"创于殿司，归于版曹，隶于计台"。"殿司"即殿前司，"版曹"代指户部，"计台"代指三司，均为中央机构，故酒正官的权力亦来自中央，与州县无涉。

青镇酒库，建于宋建炎间。由单独设立的酒正官统管乌、青两地酒务，时称"乌镇都税务司"。由于设有酒务官衙，该处地名也渐被称作"酒坊巷"。

清张园真《乌青文献》卷一对此有清晰的记载："酒务，在通安桥南堍，直至广生桥。据明董斯张《吴兴备志》卷十四《仓库》条载：'乌镇都税务司，在众安桥南，知酒醋务，兼收两镇税务，设官提领一员。后隶两浙盐运使司。'内有溪亭三间，匾额上题有'第一春亭'四字。宋理宗景定元年迪功郎、酒正吴予之建造。"景定元年，即公元1260年，这时的南宋王朝，快走到尽头了。

南宋恭帝德祐二年（1276），酒税衙门移至安利桥南，职责为酒醋税务，同时兼管乌、青两镇的所有税务。这项制度一直延续到元大德年间。此后才各归所属，乌镇属湖州乌程县，治所移至南浔；青镇属嘉兴崇德县，治所改设于石门镇。

至此，乌青地区的酒务走向衰落，昔日热闹景象已不再，最后连沈东皋那块《题名记》碑湮没在何处，也无人知晓。酒务官衙这块场地，仍为官方所有，却由慈云寺承佃。到了明正德三年（1508），寺院修筑围墙，掘土三尺，《题名记》碑才重见天日。

石门镇地处运河弯兜，俨然水上交通要隘。宋高宗绍兴年间，就在镇区接待寺旁原石门驿站基址设立行幄殿，以为驻跸之所。驿站则改迁至皂林。当时崇德县境内，酒的酿造和销售，石门是一个重要的集散地，因置有石门酒库。

祖上一直居住在开封的张子修因父亲张勋的余荫入仕，监石门酒库，并在镇上定居下来，石门因而有东园之筑，且与张汝昌的西园并擅美名，池馆园林、流觞曲水，皆一时之胜，成就了一段"东园载酒西园醉，摘尽枇杷一树金"的千古佳话。

石门湾。南宋嘉泰间，黄榦监石门酒库 / 施青山摄

黄榦（1152—1221），号勉斋，福建闽县（今闽侯县）人，是石门地方历史上一位绕不开的人物。他是朱熹的弟子，后来又成为朱熹的女婿。庆元六年（1200），朱熹病重，将所著托付给黄榦，并手书与他诀别："吾道之托在此，吾无憾矣。"

朱熹病逝，黄榦守丧三年毕，于嘉泰三年（1203）冬只身远行，调监崇德石门酒库。当时黄榦的职衔是：迪功郎、监嘉兴府崇德县户部石门犒赏酒库。

《光绪桐乡县志》卷五载，当年黄勉斋先生监酒处在镇东震东禅院西侧，俗称东圣堂。第二年冬，他又获得新的任命：兼管乌镇、新市两地酒库。黄榦说自己此后是"奔驰两库，竭尽一心"，"自冬涉春，愧代庖而越俎"。他在开禧二年（1206）正月元日给杨信斋的信中说道："邻库往来诚劳，亦只得五日一往。甲夜登舟，天明即至，不费力，但事颇多，不能不费思虑耳。"

酿酒卖酒获利丰厚。朝廷即便早就颁布严厉的法令，但仍有藐视法条、肆意而为之徒。他们酿造私酒，大发"酒"财。建炎以后，民间甚至有此俚语："欲得官，杀人放火受招安；欲得富，赶着行在卖酒醋。"

随着时间的推移，酒禁也渐松弛。黄榦未到任前，石门酒库已是弊端百出，为浙西之最。

《勉斋集》中《申崇德县乞追究钱福札子》《申提领所乞惩治钱福》诸文，都提到钱福。此人居住钱林，本系石门酒库拍户，但与官府勾结，私设酒坊酿酒，胁迫乡里百姓到他家酒坊买酒，因而成为当地豪横富户。黄榦曾向崇德县令抱怨，并列数钱福之罪：不赴库打酒，其罪一；私下造酒，其罪二；多置拍户，其罪三；本库使人告谕不从，反装论诉本库，其罪四。黄榦还专门绘制了一幅地图，用黑色标示石门酒库销售的区域，用红色标出钱福私酒贩卖的范围。原归石门酒库销售的区域，竟有四分之一被钱福的私酒占据。

钱福之外，更有胥吏为奸，内外勾结，公私不分。米曲之用，大半入于胥吏之家，故酿酒时偷工减料，酒味浇漓。"老吏十数人，往往宿奸巨蠹，轻侮其长，循习已久，恬不为怪。"更有甚者，拖欠税款严重，动辄以万缗计。黄榦在《石门拟与两浙陈运判》函中说道，石门酒课在高峰时，一年的赋税可收五六万缗常有余，而他到任时，全年征收的税额竟然已不足一万缗。

目睹此种状况，黄榦不无感慨，乃有《监石门酒库》之作。这首诗也成了后人观照当时社会现实的一面镜子：

> 吴越天下富，京畿游侠乡。陇亩尽膏腴，第宅皆侯王。
> 世言苏湖熟，沾溉及四方。自我来石门，触目何凄凉。
> 清晨开务门，有酒谁复尝？累累挈妻子，汲汲求糟糠。
> 父老称近年，十载常九荒。聚落成丘墟，少壮争逃亡。

大量的粮食用于酿酒赢利，导致贫民口粮短缺；由于贫富差距的拉大，贫民数量的增加，石门镇上竟然出现了一个常年靠酒糟果腹的群体——"食糟民"。黄榦曾深怀同情地叙说食糟民以"狗彘不食"的糟糠充饥的境况：

> 石门酒库以灰和糟，岁以粪田，虽狗彘不食。晨开务门，老稚累累，买糟和糠而食者，肩相摩也。无钱而求糟以食者常相半焉，则因食糟之多，而可以知贫民之多也。

黄榦不以官小为卑，尽心守职，整治积弊，"先生莅职，夙兴夜寐，祁寒盛暑，有所不避，防其渗漏而几其出入。于是规画井井有条也"。当时新任镇江知府辛弃疾路过石门，拜访黄榦，颇为他的境遇鸣不平，不禁长叹："是所谓圣贤尝为委吏乘田者也。"五百年后，清人程宗坤《桐溪百咏》中亦有诗感慨黄榦当年的际遇："乘田委吏有尼山，酒库何妨屈大贤。寂寞祠堂秋草遍，那知洙泗是真传。"

监石门酒库期间，黄榦将订立的条规刻于石碑之上，告示民众，尤其是警告那些不法之徒，休得视法规为儿戏，一意孤行！数百年后，石碑已不见踪影，黄榦立碑一事，也不再有人知晓。直到清康熙四十六年（1707），石门一带大旱，河床都裸露在烈日之下，一应民众在镇区的水岸疏浚河道时，偶然掘得当年黄榦所立石碑。众人一齐欢呼，原来此处就是宋时酒库所在，而且以为是先贤有灵，方才遇到这一难得的吉兆。于是郑重筑亭，竖石碑于亭中，并在碑的另一面镌刻"宋贤遗迹"四个大字。然而世事变迁难预料，至光绪年间，亭既毁，碑亦再次失踪，从此无由再闻。

自嘉泰三年（1203）冬至开禧二年（1206）春，黄榦在石门任职共两年零两个月。三月，授荆湖北路安抚司激赏酒库兼准备差遣。五月到任。而后陆续任江西临川令、新淦令及安徽丰安军通判。人虽离开石门，但其影响依旧不减。后人在石门镇东酒库位置，竖起"大儒黄勉斋先生监酒处"石碑，可惜碑文后来被庵僧磨去。清代濮启元作《石门酒务》诗："墟落谁尝百斛醪，语溪风雨冷闲曹。还怜五斗腰空折，赢得虚凉是解嘲。"怀想当年黄勉斋管理石门酒务的种种往事，真是一唱三叹！明嘉靖四十二年（1563），时任知县曾士彦倡议，在石门镇玄真庙西创建勉斋书院。清咸丰元年（1851），在玉溪镇运河东岸，知县张家缙又创设开文书院，前为讲堂，堂后有楼，"祀宋儒黄勉斋先生"。咸丰十年（1860）太平天国运动期间，书院遭毁。

宋代以降，民间白酒、米酒酿造习俗愈发深厚。

洲泉一带，素以酿制竹叶青酒闻名于时。清乾隆间屠家坝胡滢《语溪棹歌》中就写到了它，极尽赞美之词。诗云："几处菱歌弭棹听，红栏一曲见旗亭。月波楼上春醪美，还让洲泉竹叶青。"无独有偶，百年之后，与胡滢居处仅数里之隔的南泉村吴曹麟又有《语溪棹歌》五十首，其中也有诗称赞竹叶青："村路迢迢晚色冥，行人手自挚双瓶。问渠有客杭州到，好酒须赊竹叶青。"远方有客来访，当备酒酬酢，无奈囊中羞涩，只得向店家暂赊。底层百姓的热情好客，充满生活情趣的温馨场景，令人不饮自醉。

屡屡出现于文人棹歌中的"竹叶青"，在吴县历代旧志中也有类似的记载："以草药酿成，置壁间月余，色清香冽，谓之'靠壁清'，亦名'竹叶清'……"

清顾禄《清嘉录》卷十专门记录了民间酿酒一节："乡田人家……以白面造曲，用泉水浸白米酿成者，名'三白酒'。其酿而未煮，旋即可饮者，名'生泔酒'。"这"生泔酒"，其实就是颇受民众喜爱的"杜搭酒"。俗话说"毛焐芋艿杜搭酒"，是最惹人爱的农家乐。顾禄虽是吴县人，但桐乡与吴县本来就是近邻。苏南浙北，地相连，习相近，无论城镇或乡村，杜搭酒已成为人们普遍的喜好。

乌镇出产的"三白酒"更是闻名遐迩。民国二十五年（1936）重修《乌青镇志》卷二十谓三白酒"以白米、白面、白水成之，故有是名。味极酽，陈者可敌越酿，并有状元红、竹叶青等名称"。三白酒的历史可追溯到明初，其时乌青两镇酿酒作坊多达二十余家，尤以高公升、顺兴、永盛三家最为著名。高公升酒坊甚至延续到了当下。其所酿者，酒香浓郁，酒味醇厚，入口软绵，回味爽净。2010年，乌镇三白酒酿造技艺被列入第四批嘉兴市非物质文化遗产代表性项目名录。

一包花生，二两老酒，一角洋钿。二十世纪八十年代乌镇东栅三里塘老街小酒店一景 / 徐建荣摄

"文章合为时而著，歌诗合为事而作。"

宋代，随着酒业的兴旺，涉及酒文化的诗作亦俯拾皆是，不可胜数。

苏东坡与他的挚友洲钱钱勰（字穆父，吴越王钱镠后人）的唱和诗，如《闻钱道士与越守穆父饮酒送二壶》《次韵钱穆父会饮》《次韵穆父尚书侍祠郊邱瞻望天光退而相庆引满醉吟》等，无一不以饮酒为题。

"一犁还又耕春后，三白曾来醉腊前。""岚光烟树外，野色酒杯间。""载酒日边客，闻歌柳外船。"崇德平绿轩诗人雅集，不少篇章都离不开一个"酒"字。

两宋间，寓居乌镇的张抡，自号莲社居士，于绍兴间知阁门事，旧志上说他"以文墨际高、孝两朝"，有《莲社词》存世。他的词作，多写酒文化。宋孝宗乾道三年（1167）三月十一日，张抡进《柳梢青》云："柳色初浓，余寒似水，纤雨如尘。一阵东风，縠纹微皱，碧沼鳞鳞。　仙娥花月精神。奏风管、鸾弦斗新。万岁声中，九霞杯内，长醉芳春。"淳熙六年（1179）三月十五日，张抡进《壶中天慢》云："洞天深处赏娇红，轻玉高张云幕。国艳天香相竞秀，琼苑风光如昨。露洗妖妍，风传馥郁，云雨巫山约。春浓如酒，五云台榭楼阁。　圣代道洽功成，一尘不动，四境无鸣柝。屡有丰年天助顺，基业增隆山岳。两世明君，千秋万岁，永享升平乐。东皇呈瑞，更无一片花落。"这些皆可视为张抡抒写酒文化的代表作。另外，他又有《菩萨蛮·咏酒》十首，每首都以"人间何处难忘酒"开头。第一首云："人间何处难忘酒，迟迟暖日群花秀。红紫斗芳菲，满园张锦机。　春光能几许，多少闲风雨。一盏此时疏，非痴即是愚。"整篇文字，酒味芬芳。《宋词三百首》中选录的张抡《烛影摇红·上元有怀》词显然也是宫掖侍宴之作："双阙中天，凤楼十二春寒浅。去

乌镇高公升酒坊 / 李渭钫摄

年元夜奉宸游，曾侍瑶池宴。玉殿珠帘尽卷。拥群仙、蓬壶阆苑。五云深处，万烛光中，揭天丝管。　　驰隙流年，恍如一瞬星霜换。今宵谁念泣孤臣，回首长安远。可是尘缘未断。谩惆怅、华胥梦短。满怀幽恨，数点寒灯，几声归雁。"

陈与义随宋室南渡后一度官参知政事。后息影青镇，寓居芙蓉浦上。《无住词》十八首，俱作于此时。如"酒杯深浅去年同，试浇桥下水，今夕到湘中"（《临江仙》），"亭亭风骨凉生牖，消尽樽中酒。酒阑明月转城西，照见纱巾藜杖带香归"（《虞美人·邢子友会上》），"忆昔午桥桥上饮，坐中多是豪英"（《临江仙·夜登小阁，忆洛中旧游》）等；又《浣溪沙（送了栖鸦复暮钟）》词前小序云"离杭日，梁仲谋惠酒，极清而美。七月十二日晚卧小阁，已而月上，独酌数杯"。可见写酒文化的篇什着实不少。

黄榦监石门酒库时，作有《磨铭》《醉床铭》《陶器铭》《烧器铭》《升铭》等"石门酒器五铭"，寓理于物，颇具哲理，又处处突出"酒器"特性。

《磨铭》云："上动下静象天地，前推后荡象六子。昼夜运行命不已，精粗纷纶物资始。君子省身盍顾諟，无小无大亦一理。"

《醉床铭》云："责酒清易，责人清难。智者于酒，可以反观。"

《陶器铭》云："一线之漏，足以败酒。一念之差，得无败所守乎？"

《烧器铭》云："厚其耳，广其腹。厚故胜，广故蓄。绵薄任重，只以覆其竦。"

《升铭》云："凡物之理，不平则鸣，不足则慊，太溢则倾。谁谓剖斗而民不争？其取也，宁过于啬；其予也，宁过于盈。是又所以为不平之平乎！"

宋理宗嘉熙三年（1239），著有《乌青记》、首开乌青镇镇志修纂先河的名士沈东皋撰写了《乌青镇酒正题名记》，真实记录了南宋高宗建炎至理宗嘉熙年间乌青镇酒业上百年的历史，以及"创于殿司，归于版曹，隶于计台"的管理制度，无疑是一篇具有独特价值的历史文献。迻录如下：

> 云起肤寸，能雨天下，不书其微，孰考其著？此乌青酒正题名所由作也。阳羡庄君挺，名家秀大，所居官不以翟贵而酤不平，不以物贵而居不葺，薰为和气，播为能声，大司徒侍读史公、计使焕章曾公闻而荐于朝。与余有吟编旧，往日过余曰："惟此榷酤之职，自建炎间创于殿司，归于版曹，隶于计台。置官以来，题名未立，咸无考焉，今将揭石于厅之左，哀前政之名列于上，冀后政之题继于下。他时吏见之曰'是不旷官也'，民见之曰'是不病民也'。名斯存，道斯存也。今及瓜，西山爽气生即指归，请为我言之。"余曰："诺，是可书矣。"嘉熙己亥中元日，东皋叟沈平记。

水乡风情茶肆闹

水乡茶馆，最能显示一地风情。

年年岁岁，岁岁年年，茶馆文化不仅早已融入百姓的日常生活，而且融入了他们的精神世界。茶馆作为一个宽广的不可或缺的社交平台，浓缩了社会的各种文化，无论高雅还是低俗，都能窥见其印记。顾颉刚先生曾说："家庭以天伦合，学校以道义合，工商以职业合，而茶肆以市井游荡合。"

千百年来，蜿蜒流淌的京杭运河，很大程度上促进了茶叶的贸易和茶文化的传播。运河两岸，江南水乡，不管市镇还是乡村，情形相似，饮茶人数之多，茶馆密度之高，着实令人惊叹！

人们说"茶至唐始盛"。《全唐诗》中，涉及茶文化的诗作有五百多首。"水门向晚茶商闹，桥市通宵酒客行。"王建的《寄汴州令狐相公》诗，体现了唐时茶肆酒楼之繁华景象。及至宋代，饮茶品茗更是人们日常生活中不可或缺之事。桥堍之下、河道拐角、街道路口，茶馆酒楼几乎无处不在。北宋徽宗政和六年（1116），茶税收入达到一千万贯。茶叶制作及饮茶方法，均有进步。宋徽宗本人就写过《大观茶论》，称"近岁以来，采择之精，制作之工，品第之胜，烹点之妙，莫不盛造其极"。无论大店还是小肆，闹哄哄的人影，嘈杂的人声，拥挤不堪的茶桌，体现出来的尽是醇厚浓郁的水乡风情。

茶馆里，可谓人间万象。有的茶客，一边喝茶，一边在隔壁面店叫一碗肉丝面，再阔气一点的就来一碗鳝片面或者黑鱼面，细嚼慢咽。一碗带浇头的汤面下肚，再喝上几口酽茶，六脉调和。不少茶店旁边还有点心铺，名目繁多的现做点心，生煎包子、大肉粽子、肉馅茶糕（俗称眼镜糕），还有馄饨、油条、豆浆等，等候着茶客们的到来。这些茶客，大都年龄较大，生活节奏渐渐慢下来，日上三竿，方才起身离去。

茶文化也折射出人们社会生活的方方面面。不少茶客，喝茶往往不是主要目的，要紧的是交流。他们大都相互熟稔，期待着通过面对面沟通来加深彼此的感情，并获取各种信息。即便偶尔遇到一两张生面孔，但坐到一个桌子上，也会变得见面熟。茶一沏上，同桌或邻桌之间，就摆开了龙门阵。社会新闻、茧丝价格以及年成好坏等，均是热门话题。还有趣闻传说、人事变迁等，总有说不完的话语。这时的茶馆，俨然成了"新闻发布中心"。商贾们也会凭借茶馆这个平台来联络感情，让生意更加红火。浙北一带，茧丝、新米上市之时，茶馆更是成为探听市价的最佳场所，因而经营茧、丝、米或其他商品的捎客商贩，亦往往出入其间，撮合拉拢，赚取佣金。

"茶馆酒店小法场。"茶肆同时也是社会上三教九流、江湖术士的立足处，民间私下评判是非、解决争端，也大都选择去茶馆。此时的茶馆，无疑成了"民间仲裁所"。大凡乡邻间产生了纠纷、口角，人与人或家族与家族之间发生了类似产权一类的严重矛盾，就请茶客们评论，最后由地方上、行业内或家族中德高望重的人出面调停，他们会召集双方当事人、关系人及亲朋好友到茶馆里"吃品茶"，或曰"吃讲茶"。调解人用心听取双方的观点，然后着手调解，恩威并施，尽量找到双方都能接受的结果，化干戈为玉帛。

俗话说"热茶解渴，凉茶去暑"，但也不尽然。集体生产的那些年份，生产队里，家家户户都备有一把质地粗糙的陶瓷大茶壶。每逢盛夏的"双抢"时节，早上或午后出工前，大茶壶里就满满地泡上一壶茶水备用。一气活儿干下来，汗流浃背，浑身湿透，就像水浇过一样，此时壶中茶汤早已凉透，拎起茶壶，大嘴对着小嘴，"咕嘟咕嘟"一番牛饮，既解渴，又去暑，委实是农家人人不可离的真爱。

往时，崇福镇上有福和楼、第一楼等茶馆六十多家，而乌镇的茶馆数量也与崇福大致相当。濮院镇在民国时，茶馆店总数有三十九家。抗战前，石门镇上大小茶馆店有三十四家。直至二十世纪九十年代初，乌镇至少还有三十来家茶馆在营业，仅西栅一段长不足三十米的小街上，就集聚了十数家茶馆。

乌镇四栅茶店都是乡农出市聚会之所，仅有早市，待到航船散归，茶客便寥寥无几。此类茶肆大都沿河而设，筑有水埠，乡间航船出市即系缆于此。各个集镇上的小茶馆亦大抵只经营一个早市，此所谓"乡庄"。而像崇福的福和楼、第一楼，乌镇的访卢阁、天韵楼、三益楼、常春楼，石门的万兴楼、德兴楼这一类较为有名的茶馆，规模明显上一个档次，即人们常说的"街庄"，茶客大都是一些有身份的富户或生活悠闲的清客（读书识字帮人做事者）。这些茶馆终日茶客不绝，节汛还有夜市。

访卢阁紧靠应家桥南，身背后便是车溪市河。站在访卢阁上朝对岸望去，乌镇闻名遐迩的十景塘与"六朝遗胜"石坊，隐约可见。此阁楼下为二开间，楼上为三开间，两面临水，一面临街，东西北三面有统排玻璃窗，桥腰边有扶梯可从桥上径自登楼。四周乡农，驾舟而来，系缆桥塊，从河边上岸。在二楼品茗时，可凭窗观景，视野开阔，因此生意红火。

乌镇访卢阁茶馆 / 徐建荣摄

访卢阁之得名，说来话长。相传唐代茶圣陆羽专程造访嗜茶的卢仝，访卢阁意谓陆羽访卢仝于此，两人志趣相投，惺惺相惜。卢仝曾有《走笔谢孟谏议寄新茶》（俗称《七碗茶歌》）诗："柴门反关无俗客，纱绢笼头自煎吃。碧云引风吹不断，白花浮光凝碗面。一碗喉吻润，两碗破孤闷，三碗搜枯肠，唯有文字五千卷。四碗发轻汗，平生不平事，尽向毛孔散。五碗肌骨清，六碗通仙灵。七碗吃不得也，唯觉两腋习习清风生……"传诵至今。

旧时，战乱频仍，民生多艰，访卢阁也历尽磨难。太平天国运动时，阁竟被毁。同治三年（1864），王姓店主在原址重建。

崇福镇福和楼茶馆位于西寺前，三楼三底，规模最大，店内附设现做现卖的点心摊。第一楼茶馆两楼两底，位于春风头圣堂桥北。楼之东，是隋唐运河故道；楼之南，是东西向与运河连通的县前河。店面临街，楼下东、南两面窗下都有固定靠椅，可俯瞰河面风景。楼上玻璃长窗，窗外有栏杆，三面均可远眺。河中停靠着多只航船，远的驶往周边县市，近的则是去县内外各乡镇。清晨，鸟友持笼登楼品茗，窗下挂满鸟笼，叽叽喳喳的鸟鸣声不绝于耳。

濮院镇上，东河头花园街的忠林茶馆、俞长生茶馆，语儿桥头的小囡囡茶馆，北河头的吴月泉茶馆，俱在商市热闹的地方开张，生意兴隆，茶客盈门。绍兴人杨学泉在清光绪年间开设的同福园茶馆规模最大，声名最盛。双开间门面，前后五进，约五百平方米，用工多至二十余人。

石门镇上规模较大的茶馆多设有雅座，专供吃摆茶的，一人一碗，随客之便，上午沏的茶，中午、下午、晚上均可再饮。所用茶叶也相对高档，红茶中添加玫瑰花，绿茶中添加玳玳花，而且都是整朵的。德兴楼所辟雅间，专供米业人员使用，每天下午、晚上均有市。

茶馆遍布城乡，不仅在镇区，就是乡村小集市也随处可见，而且大多座无虚席。于是坊间有此俗语："五步之内有饮，十步开外烹茗。"

距离洲泉五六里的马鸣集镇，近年来开发乡村旅游，颇有点名气，老街上就集中了四家茶馆。而在民国时，这条长不过几十米的狭窄小街，竟开设了七家茶馆。

二十世纪六七十年代，我在洲泉镇南泉村（时称青石公社南泉大队）插队务农，那时村里上了年纪的老人，都喜欢到洲泉街上南市梢兰生茶馆店喝一壶早茶，一年三百六十五天，几乎从不间断。"大脚"关庆是这群人中起得最早的一个。他早年得了血丝虫病（乡间俗称"瘤火发"），两条腿肿胀如小水桶一般，走路总是要拖着脚步，显得十分滞重。每日天色未曙，村西通往镇区的石板小道上便传来慢腾腾却又颇为沉重的脚步声，有时还伴着一阵紧一阵"啊吭，啊吭"的咳嗽声。年轻人从酣睡中醒来，听到这既慢且重的脚步声，以及阵阵咳声，便知道准是"大脚"关庆到街上吃早茶去了。天快亮了。

乡村集镇上的茶馆店，大都属于大众化一路。老茶客常喜欢吃早茶，定壶、定杯、定坐，一年四季，雷打不动，店家和茶客早就形成默契。也有不少茶客，来茶馆无非是凑个热闹，相互间闲聊，大抵是为了消磨时光。当然，去茶店喝茶闲聊一经成为习惯，便成了日常功课，是一种精神寄托，也是一种生活乐趣。

早些年，也有不少茶肆是直接开设在运河沿岸的。这些茶肆设施十分简陋，但板桌、条凳、老虎灶则是店中少不了的三大件。

我插队务农时，常摇着开艄船或水泥船往返于运河塘上。回程时总是满载，船舷贴着水面，又是逆水，摇一橹去不了半尺。要想船行得快些，少不得上岸背纤。紧靠着运河沿岸的纤塘，从陡门往西至宗扬庙，便是以往颇具名气的濮家塘。只见路上时不时地就有一家或数家茶肆。这塘河边上的茶肆，几乎清一色的茅屋，鲜少有瓦房。铺盖

马鸣老街上的茶馆 / 张根荣摄

乌镇北栅茶馆 / 徐建荣摄

在屋顶上的稻苫不知已挨过多少年份，屋面又经年累月地遭受日晒雨淋、风雪冰霜，尽显枯焦，不少地方已经不蔽风雨，急待添草翻新。茅屋内天窗极小，光线甚暗，茶桌之间，仅有一条狭小的通道。

在坑坑洼洼的塘路上负重前行，十分费力。出门时节，大多又是寒冬腊月，运气不好，还会遇到雨雪。半路上如若遇见一爿茶馆店，背纤人便会眼前一亮，轮流着过去讨口热茶喝。茶叶固然是劣质的，茶水甚至还带点苦涩，但喝到肚里，似乎比上好的龙井茶还要香醇。

背纤路上，少不得遇到跨塘拱桥。好在古代工匠极具智慧，造桥时，特意在桥的边柱下留出纤盘石。船过桥下，背纤人须将胸脯紧贴着桥柱石，两只手使劲攀住它，双脚在宽不盈半尺且三面临水的纤盘石上寸步移动，方能安全走过。

"茶棚酒肆纷纷话，纷纷尽是买与卖。"既吃茶又兼做一点小生意，出售一点自家地里刚采摘来的豆角、青菜，也是茶肆的一大特色。四乡农民到街上吃茶，大都喜欢在老位置坐定，将携来的各种蔬菜一一摆好，店门口顿时成了一个简易的菜市场。他们自有生意经，既不吆喝，也极少斤斤计较。青菜萝卜均为农民自家所种，品种不多，换几壶茶钱而已，有顾客问，掼几个小钱即可成交。即使无人问津，也无须惦挂，喝茶第一，生意其次，或者说生意仅仅是茶馆生活的点缀。

还有一类茶客，肚皮里大都灌了点墨水，识文断字，他们以茶为媒介，颇注重修身养性。乌镇访卢阁茶馆，是当年茅盾祖父经常光顾的地方，茅盾在《祖父及其弟妹》中写道："祖父的生活，很有规律。每日上午，或到本地绅士和富商常去的访卢阁饮茶，或到西园听拍曲。"这类雅客，自有一种饮茶习惯，一只擦拭得干干净净的白瓷茶壶，一盏茶盅，里面漂浮着几片嫩绿的茶叶，饮者神色坦然，双目微合，气息平和，坐势静穆。"有好茶喝，会喝好茶，是一种清

崇福北门茶馆 / 吴富江摄

福。"（鲁迅语）其实，这何尝不是一种优雅的生活方式。

苏州评弹，雅俗共赏，在江南民间十分流行。茶水，最适宜于慢啜缓饮，一边品佳茗，一边欣赏动人的说唱，口福、耳福齐享，故而茶馆往往成为评弹艺人的演出场所。人声嘈杂的茶馆里不仅因此增添一抹文化亮色，也给为生计奔忙的众乡邻提供了大众化的精神食粮。

濮院同福园茶馆第四进即为书场，张鉴庭兄弟、严雪亭等评弹名家都曾在此献艺；崇福福和楼也时常有评弹或评书演员来此演出；即便是洲泉小镇，茶馆店里也曾请来蒋月泉这样的名角，还有崇福出去的金漱芳、金采芳姊妹等。当年我插队在乡，收工回来，多次跟着别人来到镇上茶馆，泡上一壶热茶，静静地欣赏这妙趣横生，有时还惊醒世俗的评弹说唱，甚至还学说几句"苏州白"，借此自娱，以除去一日的疲劳。

"三跳"，是崇德一带颇受底层民众欢迎的民间说唱艺术，道具仅用三段毛竹板，即"三跳板"，"三跳"之名，亦由此而得。"漫道桑田沧海事，闲听茶肆唱三跳。"往时农村集镇上的茶馆，时常有本地的"三跳"艺人登台献艺。每到此时，茶馆里的凳子就不够坐了，村民们大都会从自家屋里搬来条凳，不大的厅屋里，常常坐得满满的。人们都沉浸在这乡味浓郁的说唱中，一脸满足相。有些上了年纪的老人，听着听着，竟迷迷糊糊地打起盹来，嘴角边拉成长线的口水滴到了地上……

【链接】

石门茶店每年春节，按传统习惯，凡到茶店吃茶，首先送上一盅糖茶（内含冻米或糯米饭糍），不管吃红茶绿茶，每碗放一颗青果（橄榄），有的店还每人供应二支香烟（习惯上，新年吃青果茶，是尊重客人，祝新春如意）。可是收费要加二个铜板，这是大多数茶店的情况。设有雅座的"长乐""溪南""德兴楼"，则是别树一帜，每位茶客除送上糖茶和青果茶外，另外供奉四果盘（寸金糖、福橘、瓜子、蜜饯或白麻片糖），意思是称心如意、福寿双臻。对象是有身份的老主顾。东西由茶店职工自己掏钱置办，这是一年一次向老主顾搞点"小货钱"，顾客根据不同地位，送小费给茶店职工，阔手的送4块银元，低一点的送2元，至少送1元。

此外，茶司，俗称"茶担"，是在婚嫁、丧事、寿庆，设宴招待亲友中，不能缺少的三司之一（另外二司是厨司、乐司）。虽说茶担，可是拥有大量就餐用具和布置设宴场所的彩幔、椅披、桌围、新娘乘坐的花轿、绣花旗袍、头饰等婚宴用品。茶司的收入，以婚嫁素事就餐的桌数多少计酬，另加用具的折旧费和酬劳等。镇上操这个行业的是堰桥浜梁金宝，而在农村也有范围较小的几户。

（录自2002年版《石门镇志》）

翰墨清芬

鴛央湖櫂歌一百首有序

秀水朱彝尊著　　　　　海塩朱芳衡校書

甲寅歲暮旅食潞河言歸未遂爰憶上風成絕句百
首語無詮次以其多言舟楫之事題曰鴛央湖櫂謌
聊比竹枝浪淘沙之調冀同里諸君子見而和之云

蟹舍漁村雨咋平蔍花十里櫂歌聲儂家放崔洲前
甫二觀懿口驊絕句八十八首
成絕句万首原稿作熟襄一
水夜半真如塔火明
宋朱希真避地嘉禾放崔洲其園亭遺址也余伯

馬央月星父

曝書亭

朱彝尊《鸳鸯湖棹歌》内文书影

运河有情棹歌起

　　京杭大运河自塘栖西来，从博陆流入桐乡境内后，绵延百里，直至正家笕方东出嘉兴。运河之水，虽无澎湃奔腾之势，却平衍萦纡，长流不息。以往，人们出行载货，谋划生计，无一不是"以船为车，以楫为马"。从盛夏到寒冬，从清晨到薄暮，每日每时，运河塘上，大舟小船，多如蚁集。水上日子，船上生涯，感于心，发乎情，饮酒赋诗，扣舷而歌，一首首棹歌遂吟咏而出。棹歌的源头，可以追溯至竹枝词。可以说，棹歌是竹枝词这一文学样式传入本地以后，受地域风情的影响，逐渐产生的新名称，且与竹枝词并行于世。

　　竹枝词、棹歌的作者，大多是生于斯、长于斯的本土文化人。当然也有他乡人，他们平时对当地的历史地理、民风习俗多有关注，甚至烂熟于胸。从这些文化人笔端倾吐而出的文字，多抒写民情乡愁，贴近生活；语词精炼，信息量大；自然清新，平民气息浓厚，且无拘无束，朗朗上口，较少受到平仄格律的束缚。

　　棹歌中的诸多篇什，多维度地摹写了运河风貌，或是与运河相关的人物故事、民间传闻。市镇村落，拱桥纤塘，一竿一笠，桨声帆影；历史风云，茫茫千古，眼前景象，朦胧烟雨……凭借此类作品，运河文化的内涵得以极大丰富，范畴得以不断拓展，呈现别具生趣的一面。

程禧，清代石门县人。有棹歌曰：

> 百里官塘日往还，陡门西去玉溪湾。
> 看看两岸田如罫，平望南来不见山。

陡门，在濮院之东北，今属嘉兴市秀洲区。昔有陡门大桥，雄伟高峻，跨江南运河。玉溪湾，即今石门镇。平望，今属苏州市吴江区，素称运河名镇。官塘往还，从平望一路南来，经陡门到石门湾，但见四野如砥，田方如罫。诗人笔下，运河风光，水乡胜景，不是图画，胜似图画。

程龙光，清代人，生平不详。有《和朱竹垞太史鸳鸯湖棹歌一百首用原韵》，其《自序》云：

> 余寄迹梅泾五年矣。宦情既淡，游兴未阑，偶读竹垞太史《鸳鸯湖棹歌》暨谭舟石诸君和作，斗智争奇，无美不备。庚午暮春，雨窗无事，依韵和成百首。不计词之工拙，聊作鸳湖游草云尔。

濮院沈梓曾为程龙光的棹歌百首题诗："长芦钓叟擅词名，越唱吴歈总入情。旷世知音有同调，一编衍出棹歌声。一官匏系滞乡村，士女讴思政绩存。我亦宦情如水冷，故乡风情客中论。"

程龙光有棹歌曰：

> 碧栏玲珑帘影疏，春风楼上小莲居。

玉湾更有高人蹰，陋巷村中颜尚书。

诗下有注："石门春风楼，钱塘应才为嘉兴学正，婢陆小莲居此。颜复，礼部尚书，建炎扈驾南渡后，家石门镇。子孙自为村落，名陋巷村。"

春风楼，在崇福镇。诗注中谓"石门春风楼"，此"石门"应指石门县，而非石门镇。陋巷村，在今石门镇春丽桥村。程龙光诗下之注，恐是沿用《（雍正）浙江通志》之说。《（民国）乌青镇志》已辨其谬，迁居陋巷村的，应是颜复之子颜歧。再者，颜复其人，《宋史》有传，终官中书舍人兼国子监祭酒，未作礼部尚书。清濮启元有《陋巷村诗》："孙枝繁衍玉溪渍，泥马南来扈跸勤。郊外连田村比屋，箪瓢风味信斯人。"

方驾，字上襄，号鹤仙，诸生，清代石门镇人。著有《鹤仙漫稿》《吴下游草》《玉屑词》。又有《桐川四时棹歌》四十首，其《自序》云：

甲午之夏，余养疴园中。日长无事，因考我邑风景，有可被诸吟咏者，辄作棹歌以志之。纸墨既积，共得四十首，次之以时，题曰《桐川四时棹歌》云。

方驾有棹歌曰：

胭脂汇畔杂花桥，范蠡坞中百草夭。
正是濮川春景好，雨丝风片过妆桥。

胭脂汇、范蠡坞、妆桥，俱在濮院，相传为西施献吴时旧迹。元《（至元）嘉禾志》有载。诗中所述，古迹处处，一镇人文；春景迷眼，雨丝风片，俱是韵味。

吴曹麟，字绂堂，号松溪，清嘉庆道光间邑廪生。洲钱南泉村吴克谐孙，吴廷镛子。生于嘉庆十一年（1806），卒于道光十一年（1831），去世时年仅二十六岁。有《语溪棹歌》五十首传世，其中一首云：

> 邻场记得贩茶盐，酒库谁将税务兼。
> 一自当垆人去后，沽春春不上眉尖。

此诗记石门县城内，遗迹斑斑，俱是宋时旧物。旧志载，茶盐场、酒税务俱在县东北一百五十步。

沈涛，号苇汀，清代濮院人，沈廷瑞曾孙。著有《红药山房诗存》《幽湖百咏》等。有棹歌云：

> 双贤桥下水潆洄，镜面芙蓉镜里开。
> 自古英雄起渔钓，教郎还上读书台。

双贤桥、读书台，在濮院镇。双贤桥之由来，昔时有两种说法，一说因元末杨维桢、宋濂来此同游而得名，一说"双贤"是指刘基、宋濂二人。读书台，在双贤桥侧，宋濂寓居濮院时，曾读书于此，今犹有遗迹。程龙光有诗为证："秋月湖幽雪艇乘，昏沉塔火隐渔罾。宋濂台上书声歇，冷淡紫花开满藤。"自注："宋濂读书台在濮院。"

钟梓，民国时崇德县人。创办于抗战期间以宣传抗日为宗旨的油印刊物《塘南半月刊》载其《御儿竹枝词》十九首，其《自序》云：

> 崇、桐，古御儿乡，人文风物，遗迹方言，以及乡里之存恤，乡贤之崇祀，胥足以资棹歌至传唱，垂风尚于来斯。或以记述往事，但凭父老之传闻；或以点缀当时，犹为我人所目睹。然境随时迁，难免挂漏之虞；星移物换，徒兴销沉之感。然则棹歌之作，要亦留鸿爪云尔乎！旁征博引，充实阙疑，则有望同里先生之润饰焉。

钟梓有棹歌曰：

> 运河衍派一条条，境内沿塘十二桥。
> 过笕有涵横有渡，行人方便到今朝。

诗下有注："自崇德境沿塘与嘉兴交界处至大通桥，共十二塘桥，行人称便。"

运河如带，横贯桐乡全境，白马塘、金牛塘、康泾塘、沙渚塘、灵安港、羔羊港、店街塘等，皆是"运河衍派"的条条支流。沿塘河自东而西，其上有皂林双桥、钱店渡桥、东高桥、南高桥、北三里桥、青阳桥、司马高桥、南三里桥等，石拱高耸，船行称便。渡口则有妙智渡、单桥渡、太公渡、福严渡等十数处，连绵不绝。

桐乡一境，春秋时为吴越争战之地；北宋末年"靖康之难"以后，大批北方士民举家南迁，"南人多是北人来"，形成规模空前的移民潮；皂林路成营，系元末明初兵燹故迹。历史遗存如此丰厚，于是棹歌中涌现大量咏史之作，从朱麟应《续鸳鸯湖棹歌》、陆世垛《双溪棹歌》、吴蓉《玉溪杂咏》、陈沄《冶塘棹歌》中的相关作品，可窥其一斑。

朱麟应，字梁在，一字潜起，号梧巢，秀水（今嘉兴）人，朱彝尊侄曾孙。乾隆十五年（1750）举人。工诗词，亦擅隶书，得汉法。室名"耘业堂"。著有《耘业堂诗稿》（又名《续鸳鸯湖棹歌》）、《耘业堂词稿》等。

《续鸳鸯湖棹歌》有小序云："曾伯祖竹垞先生捃摭吾乡故闻，为《鸳鸯湖棹歌》，土风几备述矣。癸亥，客桐溪闲斋消夏，率笔续吟。征材无间旧新。下语自羞仍袭，汇计成数，亦得百篇。顾经前贤荟萃之余，仅有里巷琐鄙之事。复取而讽咏之，窃附不贤识小之义云尔。"

朱麟应有棹歌云：

> 游屯曾驻水犀军，洗马池边散牧群。
> 试按图经寻故迹，漫传吴越一江分。

诗下有注："游屯里、洗马池，在石、桐界，皆吴越备兵之所。"

春秋时，桐乡乃是吴根越角。相传当年勾践伐吴，即溯百尺渎北上，至御儿。游屯，水名，在今凤鸣街道；洗马池在今乌镇郊外（旧属永新乡），湮没已久。春秋时吴王夫差有水犀军（水上健儿，精锐部队）三千。

陆世垛，字卿田，一字秋畦，乌镇人，乾隆年间举人，选授临海县教谕，著有《秋畦诗草》《双溪棹歌》等。他有棹歌云：

十里衣香掠翠波，桥南桥北落花多。

芙蓉浦畔侬家住，不到花时客也过。

翠波、南花、北花，俱是乌镇桥名。芙蓉浦，金兵南下，陈与义千里颠簸，客居于此，筑简斋读书处，并有《牡丹》诗传诵千古："一自胡尘入汉关，十年伊洛路漫漫。青墩溪畔龙钟客，独立东风看牡丹。"满纸皆是故国之思，乡关之情，不忍卒读。

吴萼，字应籨，号芳谷，清代国子生。著有《听竹居学吟草》。汪东村曰："芳谷恂恂儒雅，喜吟咏，精星家言，与吾友施少峰善。临殁，口占一绝别之云：'平生两挚友，元囿与少峰。一旦幽冥隔，千载难相逢。'"去世时，年仅三十岁。有《玉溪杂咏》组诗十首，其中云：

巍巍古寺枕溪湾，银杏参天迥莫攀。

羡煞高僧经一卷，炉烟镇日透松关。

诗下有注："接待寺有鸭脚树一本，传宋时所栽。"

此诗写石门接待寺。旧志记载，寺系南宋绍兴年间慧梵和尚建造。明宣德五年（1430），崇德、桐乡两县分设，就以接待寺为界，寺东属桐乡县，寺西为崇德县。今石门镇上犹有"寺弄"，即当年接待寺之所在。寺南数十步，正是运河拐弯处。"石门湾"之称，亦由此而来。

陈沄，字西泾，号鹤川，炉头人，清代人，诸生。有《冶塘棹歌》（亦称《柞溪棹歌》）百首，宋咸熙《桐溪诗述》卷十三载入四十首。张蔬坪曾为之作序："遥吟俯唱，于忠孝节烈、大儒宿老有关风教者，尤三致意焉。其中惩创鼓舞，切于劝戒。诗可以兴，殆有古风人遗意。"

陈沄有棹歌云：

> 路成残垒照斜曛，折戟沉沙感旧闻。
> 秋蝉乱鸣巡检署，晚鸦争集县官坟。

诗下有注："元将路成营、巡检署，俱在皂林。署址有明末邑令冢，俗呼县官坟。"

皂林，素为运河沿岸一大雄镇，明嘉靖间倭寇入侵时遭毁，繁华市镇成为废墟。元末，徐达、常遇春经略浙北，与路成所率元军激战于此，路成败绩，常遇春俘元兵六万。皂林镇西侧至清末尚有路成营垒遗址。清徐畿《路成营》诗有句云："泰州兵下皂林塘，元将移营镇此疆。"

桐乡是著名蚕乡，南宋以后，蚕桑业日渐兴盛，"民皆力农重桑，辟治荒秽，树桑不可以株数计"。"浙西之利，蚕丝为大。"蚕丝产量持续增加，民间织造业随之勃兴，攸关民生。棹歌体诗作，亦因此打开了一个新的窗口，拓展出一片新的天地。

朱彝尊，字锡鬯，号竹垞，嘉兴秀水人。清初江南诗坛领袖，与王士祯并称"南朱北王"。著有《经义考》《日下旧闻》《曝书亭集》，编有《明诗综》《词综》等。《鸳鸯湖棹歌》一百首是他在康熙十三年（1674）寓居北京时因岁暮思乡而吟诵所得。其中第五十八首云：

五月新丝满市廛，缫车响彻斗门边。
沿流直下羔羊堰，双橹迎来贩客船。

缫车，乡间习称丝车。斗门，亦称陡门。农历五月，正是小满节气，"小满动三车"，三车即丝车、水车、油车。清顾禄《清嘉录》卷四载："小满乍来，蚕妇煮茧治车缫丝，昼夜操作。"羔羊堰，在今石门镇羔羊村，旧时有生丝交易市场。新丝登场，贩客盈门，运河塘中，小船双橹，运送繁忙。

胡滢，字东轩，洲泉屠家坝人，主要生活于清乾隆年间，是晚清书法家、篆刻家胡匊邻的先祖。所作《东轩诗钞》，有吴县潘文恭、本邑陈万全二序，潘序称其为"词坛宗匠，语水真儒"。清《（光绪）石门县志》载其《语溪棹歌》二十四首，其中一首云：

斑竹篱笆白粉墙，阿侬家住永新乡。
绿阴深处鸣鸠下，皓腕纤纤摘女桑。

永新乡在县境东北部，今乌镇至濮院一带，傍京杭运河。春秋时，为吴越屯兵之所。沧海桑田，千载以后，此地已是民居连栋，人丁兴旺，四野则柔桑蓊翳，良田千顷。

李廷辉，安徽合肥人，清乾隆、嘉庆时数任桐乡知县，曾领衔修纂《（嘉庆）桐乡县志》。有《蚕桑词》六章，其中一首云：

贩叶人归花满村，乳鸠声里雨昏昏。
江乡诗境由来阔，漫说看桑过石门。

农家饲蚕，桑叶时有余缺。余者售，缺者购，叶市应运而生。石门叶市，闻名遐迩，素有"石门叶市甲于禾郡（府城嘉兴）"之说。

施曾锡，字泳沂，号借林，乌镇人，乾隆丁卯（1747）以五经中副榜。卒时年未三十，乌程人陆琛（号南楼居士）有诗哭曾锡："名盛非全福，才多讵祸胎？寒甎了生事，佳句入泉台。白发高堂暮，青春少妇才。梁园终不起，花影惨成堆。"施曾锡有《借林栖遗稿》三卷，又有《杂著》《笔记》各一卷。另有《双溪竹枝词》十首，其一云：

> 双桨轻帆拨短航，筲兜裹饭出乡忙。
> 今年布价新增贵，都上京庄与建庄。

作者在诗后附注，称近镇妇女俱以织布为业，亦是农村一大副业。京庄、建庄，乃各省在本地开设的收布庄。

每逢清明等时节，蚕乡风俗活动——轧蚕花、蚕仙出游、蚕仙撒花、汰蚕花手、跳蚕花竿等，令人目不暇接。运河塘上，游船如织，岸上迎会，人头攒动，平添几番热闹。"游人笠屐添新咏，不待春帆逐水来。"览物生情，棹歌又起。

倪大宗，字右庵，清代石门县人。乾隆丙子（1756）副贡生。读书过目不忘，经术湛深，考据精核。著有《灵檀辑要》。有《清明竹枝词》若干首，其中云：

> 蚕娘扮出众声欢，叶价蚕丝信口漫。
> 讨得蚕花钱店渡，归家顺路看营盘。

蚕乡素有蚕花会习俗，每年清明，家家设祭，禳白虎，斋蚕神，蚕娘扮仙女巡游，名目繁多。时有民谣唱道："三月三，庙门开，乡下蚕娘出门槛。东亦逛，西亦颠，轧朵蚕花回家来。"钱店渡，在石门镇东约十里，其地有钱店渡桥（俗称万年高桥，又名单桥）跨运河塘。往年清明时节，此地常有讨蚕花民间集会，届时万人聚集，水泄不通。营盘，俗称营盘头，在石门镇区东端，乾隆下江南，曾在此设南巡大营，数度驻跸于此，故名。

吴曾贯，号涧莼，祖籍洲钱（洲泉），生活于清嘉庆道光间，著有《沤罗盦诗稿》等。有《语溪棹歌》五十首，其中云：

> 几簇人家夕照边，孤洲形势小于钱。
> 烧香会入祇园寺，卜得蚕花第一筹。

祇园寺在洲泉，相传为萧梁古刹。民间传闻，寺中韦陀甚灵，每年清明，乡农村妇多到寺中烧香拜佛，祈求蚕花茂盛。

濮院一地，民俗繁多。三月三日是佑圣会。清康熙间，佑圣会始罢而东岳会兴焉。

濮淙，字赞甫，号澹轩，又号雪筠，清初桐乡濮院人，曾客居吴门，以卖丝为业，其间四迁住址。著有《澹轩集》等。戴笠东渡日本，曾将濮淙诗集刊布异邦。其《濮川竹枝词·三月三日玄帝诞辰观社会而作》云：

> 此会曾经数十年，沧桑不改旧香烟。
> 当时多少朱门客，翠裹珠妆拥画船。

石門吳會貫箸　　　　　　　　長白法良校刊

語溪櫂歌

東軒丈有語溪櫂歌之作凡吾邑之名區勝境巷
語街謠以逮土產食物無不搜羅殆盡僕昭讀再
三不勝故鄉之戀自念生於臨安長於莘墅年過
三十仍因一衿他日功名稍能自立卽當侍奉
兩大人歸于舊里暇日與農夫牧豎謳詠於桑
青柘綠之中樂何如耶因檢閱遺事續成五十首
以博老人之一粲

吳澗蘋詩選 七絕　　　　　一

吹幽擊皷自家家爆竹聲中換歲華喫罷隔年香稻飯
明朝聽唱掃蠶花

昨夜春官醉似顚今朝結伴看春田塘東種遍塘西滿
共說今年勝舊年

輕衫小隊出門遲無限光光柳裊絲攜手共來歌舞廟
金釵演出教坊司　歌舞廟北門外東百餘步

幾簇人家夕照邊孤洲形勢小于錢燒香會入祇園寺
卜得蠶花第一尊　錢洲祇園寺韋馱甚靈

郎住河東妾住西兩膝相隔便成蹊如何枝上雙樓鳥
偏向春風一處啼　在東西兩河塍東門坊

岳廷枋（1787—1848），字仲瑜，号小坡，清代秀水（今属桐乡市濮院镇）人。好读史籍，工韵语，善书画，精篆刻，知琴理，有"八法兼长岳仲瑜"之誉。著有《醉六居诗稿》《西泠纪游录》《中秋词一百首》等。曾作《东岳会竹枝词·和徐笏堂韵》，其中有句云：

> 曾传此会创元时，数百年来定一期。
> 不论俭丰人踊跃，月初先布出巡词。

濮、岳二人的两首竹枝词，写的都是濮院镇东岳会的景象。

濮院镇在运河南侧六里，有妙智港、正家泾港（百花泾）、杨家泾港等与运河贯通。清明时节，濮院素有划船会之民俗。"争多逐胜纷相向，时转兰桡破轻浪"，一时间，划船数十，齐集运河塘万寿山、陡门等处，举行划船比赛，"士女棹舟往观甚众，或因扫墓而看划船，名曰'闹清明'"。沈涛《幽湖百咏》中"北塘钲鼓震天惊，桃叶临流打桨迎。扫墓归来人一笑，划船今日闹清明"一诗所描绘的，即是濮院"闹清明"时热闹欢乐的景象。

往昔民间风俗，深深植根于农耕文明，端的是异彩纷呈，源远流长。

笔底烟云运河缘

崇福地处运河沿岸。后晋天福四年（939）置崇德县，设县治于义和市（今崇福镇）。此后，街衢纵横，坊巷鳞次。太平天国运动以前，民居稠密，镇区向来有巷弄七十二条半之说，俨然一江南名镇。

镇市因河而兴，民居临水而建，潺湲水声伴着袅袅炊烟，孕育了众多的文化名人。运河之水早已融入他们的血液里，运河情结在他们的心底里孕育萌芽，既浓且深，缠绵一生。晚清海上著名画家吴滔，即其中一位颇有代表性的人物，世人的目光，常常有意无意地聚焦到他身上。

吴滔原名学源，字伯滔，号憩夫，太平天国军攻打浙江时因避兵祸，匿居德清疏林村，故晚号疏林。他是洲泉"千年吴"的后人，黄叶村庄主人吴之振七世孙，从出生的那天起，他就居住在黄叶村庄老屋内。直到庚申年（1860）二十岁时，遭逢战祸，举家逃难，辗转德清、杭州等地，他的母亲在路上遭强盗刀劈，死于非命，草葬于临平乡下。父亲也因伤心过度，双目失明，遽然逝去。经此劫难，黄叶村庄老屋一片荒芜，再难栖身，于是吴滔赁居鹭鸶湾头，名之曰"来鹭草堂"，约以十年为期。黄叶村庄因兵燹而破败的情景，吴滔后来又备述于《宿湖心亭故人索画黄叶村庄劫后光景》诗中："萧萧黄叶是吾家，剩壁颓垣水一涯。燕子归来春欲暮，恼人风景已无花。"又有《张砚隐索画吾家一笛楼前耐寒石》一诗向友人诉说不堪回首的往事："往事何堪着意思，故园寥落剩荒池。风流诸老离披日，剩有吾家石丈知。"

在鹭鸶湾住满十年后，吴滔又在西横街保安桥北堍觅地另构新屋，并在设计上别出心裁，将房舍布置成曲尺形，落成后仍用"来鹭草堂"旧名。院内叠石莳花，饶有画意。大门东向，进门一棵梧桐树上，刻有"琴材"二字，旁边缀以石笋、蔷薇。朝北的月洞门，门楣有砖刻"壶天"二字，系德清俞曲园老人手笔。过月洞门即楼厅，当年为主人之会客室。会客室北有楼房三间，吴滔的画室书画舫及起居室即在此。书画舫中有对联二副："花前薄醉偶然得，身外浮云何足论。""莫怪空廊无客到，此间只合住神仙。"画家的胸襟、情趣于此可见。这两年崇福镇整治开发横街，来鹭草堂随之修葺一新。

吴滔自幼聪慧过人，无意功名，终日潜心于丹青，诗也作得颇有韵味。他年轻时曾在湖州某商号当学徒，清晨即去四乡写生，店主见他一门心思扑在画画上，颇不乐意，且形于声色。因此吴滔不久便回到家中，专心作画，一概不闻窗外事。

吴滔的画路很宽，尤其擅长山水。初学奚铁生，复参以石涛、沈周笔法。当时画坛十分推许吴滔的山水画，嘉兴名士张鸣珂《寒松阁谈艺琐录》称吴滔"画名满东南"，"山水沉郁苍秀，近时一大家也。伯滔品极高……为予作《春柳图》《海上访僧图》及立轴册页诸品，备极精妙"。吴滔喜欢在大雨时外出观景，顶笠披蓑，或步行于运河之畔，或穿梭于田埂地头，观风雨之势，作为画稿的底本。民间传闻，某日石门县城内大火，他竟登上土阜高处，彻夜眺望，第二日就用朱砂泼写《火海图》。海宁张宗祥晚年时还专门提到这幅画，叹惜它"不知流转何许"。旧时石门县城有"语溪八景"，吴滔绘写《黄叶飞鸦》《潭水秋澄》等作。山水之外，他又工花卉，墨色浓

修葺后的来鹭草堂，位于崇福镇西横街 / 王健摄

厚，在李复堂、张安伯之间。

吴滔喜结交，来鹭草堂内时常宾客盈门。平时常相往来者，则有吴昌硕、胡匊邻、蒲华、沈伯云诸名家。

沈庆云，字伯云，一字书卿，其宅第亦在西横街，与来鹭草堂相距不过数十米。他精于书画鉴别，家有松隐庵，专贮书画碑帖。他曾收得西泠四家丁敬、蒋仁、奚冈、黄易手札，请胡镶刻石，将拓本分赠同好。又集得秦汉以来古印上百种，一时传为佳话。沈伯云曾官江苏靖江县丞。将去靖江赴任时，吴滔以邑内绉云石、耐寒石、梅花石及牡丹石等四大名石为蓝本，专门写《四石图》为他送行。

绉云石来自广东，原是清朝"大力将军"吴六奇园中故物，后转赠浙江海宁查伊璜。绉云石之名即查伊璜所题。道光二十九年（1849），蔡锡琳花千金从海宁马家购得此石，置于江南名刹福严禅寺之天中山下，并在石肩题刻赞语十六字："具云龙势，夺造化功；来自海外，永镇天中。"二十世纪六十年代，绉云石移置杭州西山花圃。

耐寒石原在县城西门外黄叶村庄内。后园林荒芜，唯此石岿然独存，吴滔名其曰"耐寒"。 1958年"大跃进"时，石亦遭毁。

梅花石、牡丹石俱是崇德吕氏友芳园中旧物。相传梅花石是吕留良祖母南城郡主随丈夫吕煠南归时，特地请求她的父亲准许带归，后拄于梳妆台下。牡丹石直至明末一直放于友芳园中；清朝初年，移至县城南门外皇华馆前。现置于崇福镇中山公园内吕晚村纪念亭前。迄今，唯牡丹石尚在崇福镇。

吴滔的《四石图》，一石一画，共四幅。洲泉屈元燨雅称这四幅画为《乡关四友图》。画中，但见一石兀立，别无点缀，笔墨苍郁，精神独具。画幅右下角或左下角，分别书写石名，并署"伯滔画"三字。

沈伯云得此赠画，什袭行箧，并用楷书各题五绝一首于画幅右上角或左上角。题《绉云石》诗云：

> 触起才肤寸，从龙指顾间。九垓霖雨后，投老入空山。

诗中"投老入空山"，即指蔡锡琳购得此石后置于福严禅寺天中山下，"息影空门"之往事。

其余三首为：

> 一角荒凉地，园名溯友芳。片云飞不起，曾倚寿阳妆。
>
> （《梅花石》）

> 历尽冰霜劫，繁华似旧时。使君风雅客，慎莫费胭脂。
>
> （《牡丹石》）

> 倦卧荒榛里，依依念故人。但留硕果在，寒尽自回春。
>
> （《耐寒石》）

旬日后，沈伯云携《四石图》沿古运河北上赴任。因喜爱之甚，途中不时展玩，不慎将画失落水中，因此懊丧万分，不得已又函请吴滔重绘。得到吴滔重绘的《四石图》后，沈伯云专门题写百余字长跋，记下吴滔两写《四石图》的前后因缘：

> 吾邑佳石有四，"绉云"因查孝廉遇吴顺恪以传，其名尤著。今春余来马洲，伯滔索旧藏前明宣德纸，画此四页赠行。屈子祠堂命之曰"乡关四友"，著长歌以记胜。嗣余携之吴门蔡

綠嶺不礙板

橋橋紅葉常

推老樹腥他

日相過任風雨

抽帆直到讀

書窗 行比句

吴滔山水册页之绿滔板桥（《吴氏三代画集》，荣宝斋出版社2010年版）

氏万有意斋，各题诗跋于上，袖示吴君仓石，乞为题句。途中遗失，惋惜竟日。函请伯滔再为石兄写照，画就，仍书二月之款，深恐后人见此一样两通，不能无真赝之别，用记遗去粗心，以释后人之疑团耳。九月望日，伯云记。

仁和（今属杭州）高龚甫，即高宝康，字龚甫，副贡生，曾任乌程县教谕，参与纂修《杭州府志》，与胡钁过从甚密，亦与吴滔交厚，曾多次过访来鹭草堂。从两人的交往中足见吴滔赤诚待人、敦重情谊的襟怀。

吴滔《来鹭草堂随笔》中，有《河干送别赠高龚甫》一则文字，谓"丙子（光绪二年，1876）闰五月十三日，菊邻自西泠归，偕龚甫见访余来鹭草堂。剪镫道故，作竟夕留。次晨龚甫即解缆过吴下，临行怅惘，图此以志萍迹"。老友别去，吴滔心中怅惋不已，一时竟无处排解，于是展纸吮墨，借画笔一支寄托对故人的想念之情……

吴滔又有《龚甫扇》数十字："昨日龚甫大兄约午后过草堂话别，忽阻风雨，今晨笠履往寻，已早解维，怅然而返。雨窗岑寂，念我故人，烟波一棹，当在皋亭黄鹤间矣。"主客两人约好午后话别，却为风雨所阻。次日一早，主人赶到河埠相送，客人却已悄然离去。念去去烟波，客棹远行，怅触何极！后人每每诵读及此，不禁怃然！

洲泉屠家坝胡菊邻与吴滔是儿女亲家，也是志同道合的至交，两人甚至到了你中有我、我中有你、不分彼此的境地。吴滔有《寄菊邻》诗，诉说两人互相挂念、不离须臾的真挚情谊，诵读此诗，颇引人生发几许感慨：

　　　君行何日到江北，我去明朝向浙东。

一棹歧途千里隔，百杯寻梦几回同。

沧桑历乱容经眼，风雨萧条感寓公。

寄语扬州鬻诗客，故人多半叹途穷。

县城吴宅与洲泉屠家坝胡宅，相距不过二十里，两人时常互动，不拘形迹。吴滔、吴待秋父子俩的书画用印，几乎都出自胡匊邻之手。胡匊邻宅中"喜雨草堂"匾额，又为吴滔所题。近年有《来鹭草堂随笔》（全三册）现身西泠拍卖会，其中两册是吴滔的诗，另一册则是吴滔和胡匊邻二人的唱和集。

胡匊邻少时曾随父游幕，历大江南北，遍览名胜及前人手迹，善刻竹、木、碑版、砚石。今桐乡市博物馆及崇福等地所存之《重修石门县桥梁记》《修石门县城碑记》，皆为匊邻手刻。福严寺内《绉云石护石记》，亦由其摹勒上石。鉴湖女侠秋瑾反清事败，慷慨就义，徐自华等于杭州西泠桥畔购地营冢，安葬秋侠，清光绪三十三年（1907）墓成树碑，徐自华撰文，吴芝瑛书丹，胡匊邻刻石，时称"三绝"。此碑至今犹镶嵌于秋瑾塑像背面。

吴滔生性耿介，不喜逢迎。对那些登门索画的达官贵人，尤其厌恶，因此得罪了不少官场政客。然而他却毫不在乎。其长孙吴敕木晚年撰回忆录，追记祖父当年事："石门地处运河边上，所以有许多自京里领名或部里派至浙江杭州及江南做官的，经过石门都唤家人备了红帖子，上门求见祖父。而祖父秉性耿介，不喜与官场来往，均使人拒见。有时来者手执红帖子高称'吴老爷在家吗？'祖父坐在堂上便大喊：'吴伯滔不在家！'"

作为光绪年间"海派"的重要画家，吴滔素来师法自然，多次买舟远行，沿运河一路向北，遍游名山胜水，赏景写生，归来则绘写长卷。他的画稿，尤多江南水乡风光胜景，亦有北地风物。作者兼收并蓄，一并罗致笔下。

省城杭州，与崇德不过百里之遥，运河一脉，贯通其间，坐船往返，尤称方便，因而吴滔常来又常往。《来鹭草堂随笔》中，《记游图为陈筱珊》《遇雨宿湖心亭次日作图赠杨西溪》《八月二十日湖上逢谢墨宾》等全是写西湖之游的诗篇。

不仅如此，吴滔还随时摄取运河景象，直接将其作为绘画素材。有一次，他与友人同游福严寺天中山，归来辄作《游天中山图》，并有题跋记述其事：

> 庚辰（光绪六年，1880）六月十七日，扨廷周兄过余来鹭草堂，剧谈竟日。次晨约游天中山看绉云石，访方外雪舟。饭后出方丈外，听夹径松涛，薄暮而归。维舟处野波横塘，扁舟帆影，颇堪入画，越日作图以贻之。

"野波横塘，扁舟帆影"，众人熟视无睹的寻常景象，在画家眼中，却成了"颇堪入画"的好素材，一幅绘写运河风情的佳构因此诞生。

吴滔的这番阅历，不由得让人联想到他的先祖吴之振当年携《宋诗钞》北上的往事。

吴之振，字孟举，号橙斋，别号竹洲居士、黄叶老人、黄叶村农，洲泉人，十岁丧父后随母迁居石门县城横街守愚堂，为吴氏迁居石门县城之始祖。之振书画卓绝，其绘画涉笔成趣，得天然第一；又精娴六书，笔法秀润，深得晋人笔意。吴伯滔、吴待秋、吴敔木，祖孙三代画名远播，与其擅长书画的先祖莫非有基因之传承！康熙十四年

（1675），吴之振建别业于城西，因爱苏子瞻"扁舟一棹归何处？家在江南黄叶村"句，名之曰黄叶村庄。二百年后，吴滔绘《黄叶村庄图》，并有长题交代黄叶村庄的来历："先橙斋公自洲钱一再移居城中守愚堂，于西郭外隙地数亩凿池叠石，构屋其间，名之曰'黄叶村庄'，取坡翁归棹诗意。余幼时犹及见剩壁颓垣，老屋数椽，石桥流水，古木幽花，苍苍茫茫，如深谷，如岩坞，城区咫尺，竟能忘却嚣尘。而今劫后荒凉，又非昔日矣。"

早在康熙二年（1663），吴之振便开始与吕晚村、吴自牧合编《宋诗钞》，"丹黄十载心目劳，南北两宋撰集就"。至十年（1671）仲秋，《宋诗钞初集》编竣，由吴氏鉴古堂刊刻，共收录宋诗成集者八十四家，凡九十四集。《四库全书总目》称"之振于遗集散佚之余，创意搜罗，使学者得见两宋诗人之崖略，不可谓之无功"。《宋诗钞初集》对当时诗坛产生了巨大影响，"近二十年来，乃专尚宋诗。至余友吴孟举《宋诗钞》出，几于家有其书矣"（宋荦《漫堂说诗》）。数十年之后，清高宗乾隆也将它置于内廷书架之上，还题诗道："《宋诗钞》亦宛在架，之振可知今日无？"

《宋诗钞》刊布后，非唯轰动了当时诗坛，而且对后世诗词创作、史学研究也产生了深远的影响。直到民国时，胡适还将其开列为三十八种"实在的最低限度的书目"之一。

《宋诗钞》甫印成，吴之振即欲分送京中诗坛巨子与诸位名公巨卿。这是他二度进京了。北行途中，凡所见所闻，一景一物，或凭吊，或游赏，或心中感发，或睹物怀乡，情思萦怀，统统化作笔底烟云。"斜阳故作殷红色，衬得阳山分外青"（《宿望亭》），"岸白连天远，山青入望疏"（《渡黄河二首》其二），远山缥缈，落日斜照，目力所及，美景流连；"天涯无限伤心地，讵独昭关解白头"（《昭关》），"千古兴亡一叹嗟，那堪回首听悲笳"（《泊扬州有

清康熙十年（1671），吴之振携《宋诗钞》进京。
图为中华书局出版的《宋诗钞》

感》），咏史及人，千载遗恨；"舟泊黄河口，中宵两梦君"（《寄内二首》其一），"闸口逢僧操浙音，羁人偏搅故乡心"（《万年闸逢浙僧》），怀乡思亲，倍添牵挂。又有《桃花口看落日》诗，写在舟中极目远眺斜阳西下的景象，憧憬北京之行也必定会有一番奇缘："暮日黏天欲堕时，波光摇漾浴胭脂。舟中也有闲公案，领略斜阳一段奇。"果然，进京以后，一时间《宋诗钞》风靡帝都，交誉士林，冒襄、尤侗、汪琬等名流纷纷与他订下文字交。翌年春，吴之振南归前夕，王崇简、施闰章、徐乾学、严我斯、陈廷敬、张玉书、王士禛等邀他同游西山，又赠诗为其饯行。

诗坛巨子王士禛，时与朱彝尊齐名，并称"南朱北王"，虽是山东济南人，却也十分熟谙江南水乡的风土人情、史事遗迹。梁园夜宴，遥想友人只身孤影，挂帆远行，回到故里的情景，心中免不了几许惆怅与不舍："吴郎挂帆忽南去，家在五湖最深处。女阳亭北指州泉，夹岸垂杨几千树。……帝城二月雪飞花，送远逢春苦忆家。梁园雪夜登楼客，目断吴江天际槎。"

离情别绪，也感染了席间所有人，"一枝柔橹水天阔，满港芦花客梦长"，依依惜别之情，流布于字里行间。

《明史》总裁官山西陈廷敬因赋《送吴孟举还语溪》诗，其中有"江上桃花春水生，孤舟惆怅南归客"句。

江苏镇江人张玉书，官至文华殿大学士兼户部尚书，其赠诗中有"人归芳草绿，春入片帆青"句。

康熙三年（1664）状元、礼部左侍郎严我斯，浙江归安人，与吴之振也算半个老乡，故其赠诗尤见乡谊深情："感君推中肠，终始以相扶。……歌罢酌君酒，送君归南湖。"

其时，翰林院侍讲施闰章亦有《吴孟举见寄舟行日记有述》诗记其事：

吴子阀阅人，江海颇高寄。家有积书岩，园多种竹地。
　　遗诗表宋元，断简无失坠。鼓棹入京师，万卷悉捆致。

　　运河情结，笔底烟云！无论是吴之振，还是吴伯滔，抑或胡匊
邻，他们的北游之旅，从艺之旅，又何其相似乃尔！

青衫片帆科举路

　　桐乡位于太湖流域南侧。宋室南渡以后，此地经济逐渐繁荣，中原文化"北风南渐"，本土崇文之风亦随之潜滋暗长，蔚然成风。也是从那个时候开始，科举路上，博取功名者络绎不绝。这些读书人，青灯黄卷，十年寒窗，甚至为此耗尽一生心血！中举以后，他们又将目光锁定在更高层次上——进京赶考，博一个进士及第！

　　"天下英雄，尽入吾彀中矣。"在历朝最高统治者心目中，科举是巩固统治的最有力措施之一。尤其是明清两代，每到大比之年，一拨又一拨江南举子，怀揣抱负，千里迢迢赶赴北京城，他们的船上常常打有"奉旨赶考"字样的小旗帜。于是大运河上出现了一道让人难忘的情景——春秋代序，风雨三更，一袭青衫，数卷图籍，演绎了人间多少悲喜剧！一定程度上说，是大运河成就了万千举子的追梦之路！举子们的故事在诗歌、戏曲和话本小说中时有体现。

　　清朝康熙初年，吴涵满怀着跻身官场、搏击风云的美好憧憬，从石门县城坐上远去的航船。随着运河里汩汩不息的流水，他那颗不安的心早已飞向了遥远的京城。"弱水蓬山路几重"，此刻，吴涵的胸中是满满的期待与渴望！康熙二十一年（1682）壬戌科发榜之日，吴涵金榜题名，多年的梦想终于变成了现实。殿试时，他又将这一科的一甲第二名——仅次于状元的榜眼揽入怀中。吕留良获此喜讯，亦特

科举时代，万千举子皆从运河北上，搏取功名 / 施青山摄

别致书祝贺："敬贺吾兄掇巍第，步清华，开吾邑二三百年未有之盛事。乡里之荣，何以逾此。"

吴涵的祖上出身微贱。金兵南下之际，吴氏一族随宋室南迁，一直居住在杭州近郊皋亭黄村。吴涵的曾祖吴相，当年嫂子怕他分割家产，将其赶出家门。吴相孑然一身，流落到陌生的崇德县城。入夜，因无处安身，只得在一户彭姓人家店门边露宿。后来彭家看他人品端正，做事勤谨，便将他留在店里，几年后，又招赘为婿。至此，吴相总算在崇德城里站稳了脚跟。旧志上常常语焉不详："后以医著名，为语溪吴氏始祖。"至于他是如何学医，跟谁学医的，却无一字交代。但有一点非常明确，既称"语溪吴氏始祖"，则这一家子世世代代一定居住在语溪城中。事实上，翻遍史籍，也从未见到过吴氏后人外迁邑中他乡他镇的文字记载。

明崇祯十六年（1643）癸未科会试，吴相之孙，也即吴涵的堂伯父吴梦白成了吴氏家族中的第一个进士。语溪吴氏从此开始发迹，不到一百年，吴家门里竟有五代七人金榜题名：

吴涵获隽之后二十四年，儿子吴关杰、侄儿吴树同时考中康熙四十五年（1706）丙戌科进士；孙子吴日爆、吴云从，分别题名雍正二年（1724）甲辰科和雍正八年（1730）庚戌科进士榜；曾孙吴震起又考中乾隆三十六年（1771）辛卯科进士。

吴涵步入仕途以后，历任翰林院编修、工部侍郎等职，康熙曾亲书"慎行堂"额赐之。最终以左都御史致仕。

吴涵有《匪庵诗钞》，惜已无从觅处。其《捉船行》一章，颇见作者以慈悲为怀、同情下层民众的拳拳之心：

> 朝发语溪水，暮至盐官城。城外榜人纷藉藉，喧闻捉船将起行。借问船行何所事？省中昨夜军符至。闽峤王师不日临，待击

轻桡到淮泗。淮泗安流亦易回，钱塘风浪几时开？经旬坐守沙汀白，不见乘潮带甲来。船后舟师驾篙橹，船头守吏怒如虎。惟有船边少妇情，似悲似啼谁作主？今年七月河水干，小舟浅搁芦花滩。雨来才许布帆稳，又被装兵捉到官。官家坐粮从不发，斗米还须钱二百。八口嗷嗷哺待谁？子又衣单寒在客。舟师摇头去若飞，少妇哀哀哭送归。我观此景顿悲痛，虽欲拯济权吾非。自从军兴势横扫，谁家夫妇能相保？但愿烽烟尽削平，船得公行饭得饱。

吴涵之后不到百年间，石门县城里又先后有两名榜眼——吕葆中、陈万青亮相科场。

吕葆中，即吕公忠，字无党，吕留良长子，康熙四十五年（1706）丙戌科榜眼。

陈万青曾七试岁科，每次都是第一。乾隆四十六年（1781），举一甲第二名进士。三年之后，其弟陈万全亦跻身进士榜。兄弟连捷，先后题名金榜，一时声名大噪，崇德城内传为佳话。

陈氏兄弟的成才之路走得异常艰难。他们的父母早故，家中一贫如洗，夏天仅葛衫一领，多处绽裂，甚至无法缝补。别的同学鲜衣絜然，万青厕身其间，却不以为耻，而是一心攻读圣贤书。十五岁那年，万青考中秀才，即去教授学生，以维持生计。其时弟弟陈万全还在私塾读书，家中仅有一把雨伞，每逢阴雨，万青总是先打伞送弟弟入塾，再去授课。夜读时，一根灯草也要分为两半，灯光如豆，兄弟二人就在这昏暗的油灯下，捧书苦读，细字几乎不可辨认，至半夜方就寝。

崇福寺鹿苑禅房的白云精舍是陈氏兄弟幼年读书的地方，人称此处为"三香吟馆"。"三香"者，一谓读书处几净窗明，陈设俱备，名曰"墨林古香"；二谓坐谈处松篁环舍，古梅屈盘，名曰"竹径寒香"；三谓寝息处杂莳花木，绿荫满庭，名曰"云房妙香"。后来陈万全的诗集，即称《三香吟馆诗钞》。乾隆四十年（1775），陈万全首次进京赶考，却会试未中。这时他已身无分文，贫不能归，故于京师就馆谋生。四十二年（1777），兄万青携带家眷，雇舟北上，兄弟二人僦居在城南的孙公园，常为缙绅富家代劳笔墨，赚取一点微薄的薪水艰难度日……

乌镇陆以湉出身世家，素有家学渊源。有清一代，陆氏家族自陆彪以下八世，有进士六人，举人六人。陆以湉二度京考，终于在道光十六年（1836）考中进士。任湖北武昌知县，数月后即辞官，遵父命改从教职。历任台州近圣书院教授、杭州府教授，又主讲紫阳书院。著有《冷庐杂识》《冷庐医话》等，流播甚广，声名鹊起。

陆以湉的《北行日记》，记录了道光十三年（1833）正月他第一次赴京时的沿途见闻及内心感受：

> 二十三日，晚过淮安府。泊舟登城。河水与城平，地低于河，实赖堤防之力焉。夜泊淮关内。连日舟行安稳，同侣又情性相洽，或对酒论古，或煮茗评诗，意兴绝佳，不知身在他乡也。

当日有《舟行偶成》诗写道：

> 东风吹客渡花湾，楼阁参差暮雨间。
> 却趁春来好烟景，推篷贪看隔江山。

《日记》又写道：

二十四日，晨抵清江浦。水泊千樯，陆居万户，淮北行一孔道也。傍晚渡黄河。河面约三里许。适遇顺风，一叶扁舟飞帆，径济赴王营。

读以上诗文，能感到作者意气风发，一路上扁舟飞帆，览物赏景，何等潇洒！想来他此番进京，定是抱着必胜的信念。虽然首试失利，但在第二次会试中获得了进士功名，可算是个成功人士。

此外，像明嘉靖间的余田、清光绪时的徐宝谦等人，无一不是从运河北上，在京城取得进士功名后跻身仕途的。余田官至四川右参议；徐宝谦官刑部郎中，后任庐州知府。

上面那些十年苦读，虽然经历曲折，但最终如愿以偿、踏入进士门槛的举子，志满意得，思谋着如何在官场上出人头地！运河里的进士船，无不打鼓挂帆，喜气洋洋。明初桐乡人程本立《扬州》组诗之三就描摹了这样的场景：

老翁能说太平年，曾见江南进士船。
打鼓挂帆扬子岸，人人尽道是登仙。

与上面这些成功人士形成鲜明对照的，则是数量更为庞大的铩羽而归、黯然神伤的落第士子。有的老举人，一生都颠簸在千里运河塘上，一次又一次赶考，一次又一次名落孙山。在他们的诗文里、日记中，充满了无可奈何花落去的沮丧和失意。

屠甸人毕槐，虽然五十一岁才考中举人，但他壮心未泯，"三千道路心才壮，五十功名兴未阑"，依然想做一番拼搏。于是他风雨在途，三入礼闱，大有不达目的誓不罢休的气概。《公车日记》对此有翔赡的记录，长流不息的运河波涛亦可为之作证。

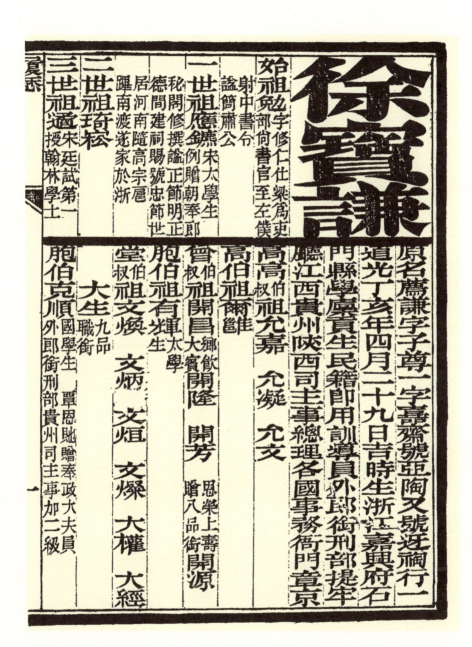

徐寶謙

原名薦謙字子尊一字壽齋號距陶又號迂裥行一
道光丁亥年四月二十九日吉時生浙江嘉興府石
門縣學廩貢生民籍即用訓導員外郎銜刑部提牢
廳江西貴州陝西司主事總理各國事務衙門章京

始祖勉字修仁仕梁爲吏部尚書官至左僕射中書令諡簡蕭公

一世祖應鑑例贈朝奉郎宋太學生

秘閣修撰賜號忠節世間建祠賜諡正節
德
居河南隨高宗扈蹕南渡遂家於浙

三世祖琦松

三世祖遹授翰林學士宋延試第一

高祖允嘉　允凝　允文

高伯祖允雒

曾伯祖開昌　鄉飲開隆　開芳　開源
恩榮上壽
贈八品銜

曾叔祖文煥　文炳　文烜　文爛　大權　大經

胞伯祖有輝　太學生

胞伯克順國學生　覃恩貤贈奉政大夫員外郎銜刑部貴州司主事加二級

大生　九品職銜

徐宝谦，今崇福镇人，清光绪庚辰科进士，事载《清代朱卷集成》／沈建谷供图

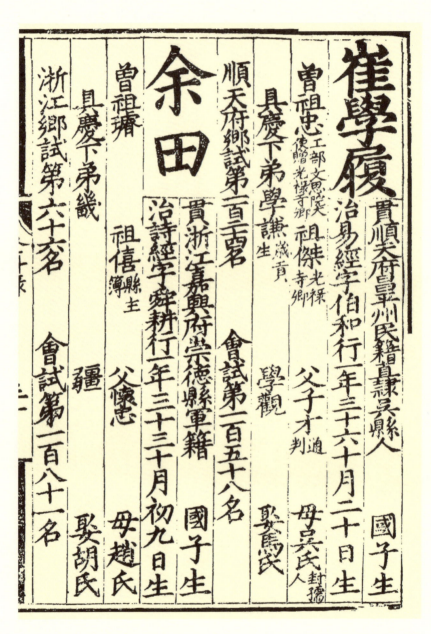

崔學履 貫順天府豐平州民籍真隸吳縣人 國子生
治易經字伯和行一年三十六月二十日生
曾祖忠 工部文思院 德贈光祿寺卿 祖傑 光祿寺卿 父子才 判通 母吳氏 封孺人
具慶下弟學謙 歲貢 生 學觀 娶鄧氏
順天府鄉試第一百四名 會試第一百五十八名 國子生

余田
貫浙江嘉興府崇德縣軍籍
治詩經字舜耕行一年三十三月初九日生
曾祖瑭 祖僖 縣主簿 父懷志 疆 母趙氏 娶胡氏
具慶下弟銤
浙江鄉試第六十六名 會試第二百八十一名

余田，今崇福镇民利村人，明嘉靖二十九年进士。《明嘉靖二十九年庚戌科进士登科录》有载／沈建谷供图

毕槐赴京前，与诸亲友殷殷握别，赋诗四绝，其一云：

灯光聚处水波红，携手河梁句未工。
可惜无人作图画，半窗明月一帆风。

正月，二十日，天无片云，南风掀舟，扬帆北去，至吴江城外城隍庙前。

二十七日，午后雨止，遂由瓦湾头至瓦窑铺。是时东北风甚大，急溜如潮。纤夫不遗余力，而河面愈广，幸水中多泥埂，土人又多作高堆以杀水势，故舟行无害。柴塘间每以红木叉在水港口覆泥柴为桥，亦江以南所未见也。

二十八日，……北至马文湾，日已西坠。舟人急于趋程，又行十余里，泊舟六安沟。有诗云：

水转芦塘急似奔，几家茅屋不成村。
点波星闪孤灯影，系缆人寻老树根。
野店时听春白粲，邻舟相倚话黄昏。
远山欲睡添余景，写出倪迂墨一痕。

过镇江，出口即附江船渡江，转瞬间至瓜洲，有诗云：

两点金焦隐碧峰，片帆尽力战蛟龙。
涛声疾走雷霆势，天影低垂日月容。
极浦微茫瓜步树，半林缥缈广陵钟。
此心不为风波慑，酬与江斐酒满钟。

然而，不幸的是，老举人毕槐终究还是被挡在了进士门槛之外，成为失意者，尽管他满腹经纶，才华满溢。

他在致挚交海宁路仲管庭芬的函中称：

> 弟驰驱数千里，仍然氄氄而归。自四月十八出都门，五月十六返舍，风尘历落，跋涉为劳，入宝山而空手回来，无一善状可为知己告。

撰《公车日记跋》时，他的心情尤为沉重："三入礼闱，仍然铩羽，终不获一命以为宗族光，深负叔父昔年滋培之至意。"

时耶命耶？欲说还休，欲说还休！

与落第举子可堪类比的，还有那些被革职放逐的朝廷命官。

劳之辨，清康熙三年（1664）进士及第，选庶吉士。此后一路升迁，四十七年（1708）做到了左副都御史。俗话说"伴君如伴虎"，他在左副都御史任上未及两月，因上书保奏废太子胤礽，遭康熙严词斥责，罢其官，交刑部杖责四十大板，逐回原籍。今人邓之诚在《清诗纪事初编》里说："有清一代，言官受杖者，唯之辨一人。"劳氏《静观堂诗集》中《腊月九日出都》诗有"天威因法在，臣罪把心扪"句。即便是劳之辨这样的三品大员，在帝制时代最高统治者的淫威面前，也是诚惶诚恐，唯唯诺诺。虽身受酷刑，被逐回原籍，却仍然要将罪孽归到自己头上，而不好有半句怨言。然而，此时劳之辨心中的苦楚毕竟是无法排解的。"信宿无淹晷，风霜有泪痕"，这才是劳之辨内心世界的真实写照。作者还特意在诗的夹注中点明："奉旨后次日即出国门。"志满意得，自以为正是施展才华的大好机会，却突然遭此变故，惶惶然若丧家之犬的神态毕见于此。

从天子脚下被逐回千里之外的僻乡石门县城，一路上，除了刚出都门时，与他有师生之谊的内阁学士、松江人杨瑄（劳氏去世后，杨瑄撰《劳之辨墓志铭》）将其送至广渠门外，沿途官员再无人迎送。孤舟片帆，形单影只，举目无亲，只有那许多不知名的鸟雀，追逐着移动的帆影，来回飞翔。与运河水交相共鸣的，唯有劳之辨灰心丧气的阵阵叹息声。虽然五年之后（康熙五十二年，1713），"皇恩浩荡"，劳之辨官复原职，但时过境迁，当年"学成文武艺，货与帝王家"的踌躇满志早已不再，初任左副都御史时的境况、心态更是不可复得，第二年，他便黯然离开了这个世界。

十里官塘到福严

邑东北十里，林木蔚然而美者，福严院在其下

——〔北宋〕陈舜俞《福严禅院记》

肇建于梁天监年间的福严禅院，迄今已走过了1500多个年头。它原名千乘禅院，宋真宗大中祥符元年（1008）始改今名。

从寺院西行不足千米，便是京杭运河。昔日河畔有福严古渡，岸边老树枯藤，河中碧波长流，一舟欸乃，柔橹咿呀，舟中仅一老者，往返渡客，岁岁年年，不辍寒暑。

一条宽不足十米的小河，从运河分流而东，在福严寺前三百米处分东西两侧，绕寺于朱墙之下。

河上有劝农桥，俗称寺桥。"福地津梁千古秀，语溪法道万年安。""闻道扁舟分绿水，迎恩明月映清波。"两侧桥联，尽显其文化渊源。寺桥北堍，则见东西二井相对，井栏镌"福严碧玉井"五字。

往时，有"山路"蜿蜒曲折，通达山门。小径两侧，长松百尺，迥绝尘寰；连片密林，蔚为壮观。夏秋之际，每至晨昏，古木丛中白鹭翔集，群鸟啾鸣，历来为福严寺一大胜境。

二十世纪六十年代以后，古松林陆续遭伐，狼藉一片。古华老法师因作《老松受灾白鸟受害》诗，沉痛惋惜之情溢于言表：

福严寺雪景 / 徐建荣摄

寺前古松百尺高，久与贫僧作故交。

只望枝条千载茂，谁知刀斧一旦抛。

此去不见龙蛇影，屋畔无闻风雨号。

最苦飞去白鹭鸟，晚归难觅旧时巢。

福严寺北面，天中山在焉，此处为全寺最高点。天中山"高二丈许，竹木蓊蔚，有亭独峙，可恣远览"。亭旧名留翠，康熙五十九年（1720）嘉兴知府吴永芳重加修葺，改名止翁，并撰《止翁亭记》。清初费隐（名通容）法师驻锡福严，顺治辛丑（1661）二月十九日圆寂寺中，有《挂瓢集》等著作行世。"半世一瓢何处挂，天空放浪作生涯。萍踪不问云异山，四海谁知是我家。"这首《挂瓢》诗，也是"挂瓢"二字的最好注释。道光间，净念上人在天中山东偏隙地建挂瓢亭，以为对费隐法师的纪念。

古刹梵音，经书万卷；晨钟暮鼓，香烛烟光。历经千百年岁月的洗礼，福严寺积淀了异常丰厚的人文元素。

相传，北宋时，有高僧志添用"咒水"治愈宋神宗嫔妃、宋徽宗生母陈才人的眼疾，因得皇家赏赐。哲宗元祐元年（1086），志添奉诏入宫，陈才人赐志添金环磨衲袈裟，哲宗赐号"真觉大师"。天下名山任其居住。真觉初居福禅，次住福严禅院，遂为福严禅院第八祖。驻锡福严后，禅师写有《草庵歌》，元祐四年（1089），禅师方外至交黄山谷将《草庵歌》抄录一过，名家法书，千载宝藏，清末尚存寺中，如今却已下落不明。

清道光二十九年（1849）春，福严禅院新添碑石十块。其中有蔡锡琳撰文、余杭董炆书丹、蔡锡恭篆额之《重修福严禅院碑记》，应时良撰《挂瓢亭记》，蔡锡琳绘、桐乡冯浩题词之《费隐禅师像》，蔡载樾绘《观音大士像》，蔡锡琳之《梅花石刻》，刘喜海撰《绉云峰记》，杭人戴醇士绘、蔡锡琳题额、"金石僧"达受（六舟和尚）书丹之《绉云石碑》。

福严寺向有"七宝"之说。寺因有七宝而增贵，七宝借寺院而传奇，彼此倚重，交相辉映。除绉云石传奇之外，尚有传闻不一的石补钟，颇具神秘色彩的阴阳镜，雕琢精湛的释迦玉佛，繁华褪尽的玉晖金铣匾等。散落各处的旧迹，湮没无闻者大半，溯其来历，无一不是福严寺上千年兴衰史的见证。

江南奇石绉云石，素称寺中瑰宝。

绉云石，又名绉云峰、英石峰，素来与上海豫园的"玉玲珑"、苏州留园的"瑞云峰"并称"江南三石"。绉云石乃粤产英石，高约二米半，具嶙峋褶皱之状，有嵌空玲珑之态，形体漏透，造型雄奇，中部故作一折，宽不及半米，秀姿宛然。有人赞其"形同云立，纹比波摇"，有人惊其"嵌空飞动，疑出鬼工"，有人感叹"春云初起，万叠争飞，嵌空玲珑，莫可名状"。其来历更充满了曲折动人的传奇色彩。

旧籍记载，此石来自粤东，原为清乾隆时大力将军吴六奇园中故物，后转赠有恩于他的浙江海宁孝廉查伊璜。绉云石之名即伊璜所题。此中故事，王士禛《香祖笔记》、蒲松龄《聊斋志异》、钮琇《觚剩》、蒋士铨《清容外集·雪中人传奇》和《铁丐传》、汲修主人昭梿《啸亭续录》、吴骞《拜经楼诗话》、郭则沄《十朝诗乘》诸书，均有所载。而题咏绉云石的诗作，更是数不胜数。

查氏式微后，石又辗转至武原顾氏、海宁马桥马氏诸家。道光时，石门（今桐乡市崇福镇）金石家蔡锡琳以千金从马氏购得此石，随即置于江南名刹福严禅寺之天中山下。福严住持净念上人于天中山麓辟地数亩，凿池架屋，为放生之所，遂置绉云石于池中。

道光二十九年（1849），蔡锡琳手书行草"绉云峰"三字于石额，并在石肩题刻十六字赞语："具云龙势，夺造化功；来自海外，永镇天中。"镌文至今仍摩挲可读。福严寺又有《绉云石图记》，刘喜海撰文，僧达受（六舟和尚）书丹。

历代以来，人们对绉云石的激赏、赞誉不胜枚举。多位画坛高手为之绘形，一时传为佳话。乾嘉以后，海宁吴骞、嘉定程庭鹭、钱塘戴醇士、嘉禾蒲作英都曾画过《绉云石图》。后来，石门县城吴伯滔以绉云石、梅花石、牡丹石、耐寒石为本，作《四石图》，同邑屈元燨名之为《乡关四友图》。

嘉定程庭鹭《书绉云石图后》详尽交代了绉云石的来龙去脉："绉云石，高一丈三尺，围三尺有奇。为洞大小凡十余处，中间故作一折，复亭亭而上，正如春云初起，万叠争飞，嵌空玲珑，莫可名状。石向为盐官查伊璜园中物。蒋心余《雪中人》院本即纪此事。后属海昌顾氏。嘉庆戊辰，马容海得之，有图状其形，别筑山房贮焉。道光己酉，石门蔡小砚学博复得于马氏。蔡，马甥也，载石置福严寺池中。曾索余为图，寄示马氏藏卷，因手摹之。"

咸丰六年（1856），新任石门知县丁溥（少芗）对绉云石情有独钟，爱石如爱友，特绘图征诗，一时响应者甚多。时任嘉善知县薛时雨《藤香馆诗钞》中有《绉云石为大力将军遗迹，嗣由海昌马氏园移至石门福缘寺，丁少芗司马（溥）绘图征诗，为赋长歌》；海盐武原举人黄燮清《倚晴楼诗集》中有《丁少芗司马（溥）席上题绉云石图（丙辰）》，诗中有注："石门蔡小砚由海昌马氏园移置语溪之福缘寺。"

同治年间，民间讹传绉云石有灵爽，可卜休咎，投以瓦石，以中为隽。从此，其旁瓦石如积，石亦渐渐受损。邑人沈伯云、屈元燨等地方名流发起保护，"筑垣环之，辟石于后，付键于僧"。德清俞樾（号

福严寺绉云石，清道光二十九年（1849）蔡锡琳购得后置于寺中 / 福严寺供图

曲园居士）欣然作《福严寺护石记》，邑人胡镬刻石，树于绉云石旁，灵石始安。

光绪十五年（1889）前后，浙江布政使许应鑅致信石门知县刘毓森：绉云石"公诸一邑不如公诸一省之更广耳"，"拟运置杭州灵隐冷泉亭畔，俾与苍崖翠壁辉映岩阿"。要求刘知县与地方僧俗两界协商，"务望商定酌量补还石价，运取来省。至一切水陆运费即由省中开支，勿庸另费筹画"。刘知县借故推托，巧妙周旋。嗣后，刘知县外调（后来任嘉兴知府），许应鑅故世，移石一事终究未能施行，绉云石依然安卧天中山麓。直到1963年，杭州园林管理局花圃初建，绉云石被移置杭州西山花圃，后迁杭州江南名石苑。

寺院千载，屡废屡兴。经过历代僧人的经营，福严寺的规模不断扩大，全盛时占地五十余亩。其殿堂厅室，"壮丽宏敞，凡黄金丹碧之饰，珠贝旃檀之像，莫不妙好庄严"。其时福严寺主要建筑有四殿（天王殿、大雄宝殿、观音殿、西方殿）、五堂（罗汉堂、六和堂、法堂、报本堂、斋堂）、两厅（退缘厅、方丈厅）、一亭（挂瓢亭），僧侣数百人，称江南名刹。二十世纪八九十年代重建以后，僧舍俨然，规模整饬，功能完备，一派欣欣向荣景象。细考每一座殿宇，其背后都隐藏着一段曲折的历史，体现了一代代高僧和信众的虔诚信仰。

天王殿位于该寺建筑群之最前端，宽三楹，高二丈余，中供弥勒，弥勒背后为韦陀，四大天王分列两侧，态势肃穆庄严。出天王殿往后即大雄宝殿。此为寺中主殿，宽五楹，高三丈，是该寺建筑群中最高之殿宇。中供三世如来大佛，两旁靠壁有金装十八罗汉。如来大佛背后为海岛观音壁塑，以及《华严经》善财五十三参中的人物彩塑。塑工精致，气宇轩昂。大雄宝殿后即观音殿（亦称圆通宝殿），殿宽五楹，高二丈余，内供观音菩萨雕像。观音殿后为西方殿，此殿建于天中山上，殿中供奉阿弥陀佛、观世音、大势至三圣。

清末，古华禅师任福严禅寺住持后历尽艰辛，两渡南洋，至新加坡、马来西亚等地，在华侨中募得巨资，扩建并修缮福严禅寺。光绪三十三年（1907），重建大雄宝殿，寺院规模一时蔚为大观。宣统元年（1909），又重建地藏殿及祖堂。

五堂之中，位于寺院南端天王殿东侧之罗汉堂规模最大。它布局奇巧，从上观下，呈田字形，共有堂房47间，间间相通，从进堂到出堂无须走回头路。堂内泥塑金装五百罗汉，千姿百态，神形各异。古华禅师继任方丈后，曾将五百罗汉重塑金身。时丰子恺亦捐赠一尊罗汉。六和堂位于寺院西侧，是僧人研读佛经之处。法堂、报本堂和斋堂分别处于大雄宝殿和观音殿两侧，共28间，为外来云游僧侣和雅士的宿食之地。

退缘厅位于寺院西侧，亦为古华禅师所建，地处偏僻，环境幽静，古华退缘后长住于此，故名退缘厅。1993年11月25日，桐乡市博物馆将"十年动乱"期间存于馆内的康熙十一年（1672）庄亲王手书"玉晖金铣"匾额和《重建福严寺碑记》、绉云石碑、观音大士造像等文物归还福严寺，置于退缘厅内。方丈厅在退缘厅北，为清末智南方丈所建，厅中收藏有众多名人书画，以及文物古玩。

> 龙吟虎啸壮观瞻，十里官塘到福严。
> 石径迂回人步缓，罗疏日影弄松髯。

这是洲钱屠家坝胡滢《语溪棹歌》中写到的福严寺。胡滢号东轩，人称东轩先生。在其暮年，里人吴曾贯陪他重游福严寺，并赋五百余字长诗《重九日陪东轩先生游福严寺并到邻村访菊》。

其实自北宋陈舜俞之后，历代名流慕名造访古刹者，代不乏人。南宋时，周必大的《归庐陵日记》，让后人看到了千年以前福严寺的风貌。周必大，江西庐陵（今江西吉安）人。绍兴二十年（1150）进士，官至左丞相。作为一位杰出的政治家、文学家，《周益国文忠公集·提要》（景印文渊阁四库全书本）作此评价："必大以文章受知孝宗，其制命温雅，文体昌博，为南渡后台阁之冠。考据亦极精审，岿然负一代重名。自杨万里、陆游以外，未有能及之者。"有《亲征录》《归庐陵日记》《南归录》等日记八种。周必大素以文章名世，但"庆元党禁"时，韩侂胄一伙将其与赵汝愚等同列为"伪学逆党"的魁首。实际上，"党禁"伊始，周必大就急流勇退，致仕归里，无论从政，还是为人，都堪称正派。与韩侂胄及其汲引的宰相京镗、谢深甫诸人相比，泾渭分明，正邪立判。

宋孝宗隆兴元年（1163），当时还任起居郎一职的周必大归乡途中，坐船经过崇德县，恰遇大风雨，于是夜宿福严寺渡口。次日，他携儿子游福严寺。其情状经过详记于《归庐陵日记》中：

> 丙寅，大风雨，过崇德县，不留。夜宿福严渡口。
>
> 丁卯，大风雨不止。早，枢密使张魏公入奏事，舟过谒之，并见其子钦夫及属官冯圆仲。携儿上福严寺，屋宇皆新，惟佛殿天禧旧物也。昔有真觉大师志添归老此寺。志添即泉州南安岩主之门人，能持胎藏咒，为人却鬼魅不祥，自官禁妃贵皆尊信之。仁宗赐御书"戒定慧"及梵书两轴，皆金字也。元祐中，陈才人为遂宁郡王施高丽磨衲袈裟一副，上有金环锅，勒郡王所题二十三字。才人即钦慈皇后，王盖徽宗也。又有"南安岩主"墨迹数字，皆藏寺中。黄鲁直尝作《莲花岩铭》，今刻于泉州，盖志添自京师归时送之。风稍定，解舟，晚距秀州三十五里止。

杨万里是周必大的同乡，一生不慕荣利，刚正不阿，坚守气节，保持本真，与陆游、尤袤、范成大并称为"南宋中兴四大诗人"。他当年泛舟运河，已是春天。"吹面不寒杨柳风。"河中碧波涟漪，岸边柳枝新绿，四野蕙风和畅，诗人内心充满了温馨。只是官差在身，虽慕福严之名，却未得到寺一游，于是伫立船头，远眺梵寺，一时间灵感触动，诗兴骤发，乃有《崇德道中望福严寺》之吟：

> 一径青松露，三门白水烟。殿横林外脊，塔漏隙中天。
> 地旷迎先见，村移眺更妍。追程坐行役，不得泊春船。

这首诗，视角全新，深有意趣，至今仍传诵不衰。

清康熙间，家住石门县城西横街的劳之辨有《福严寺访祖量上人》诗两章，其二云：

> 宋宫烟草寺长存，历有高僧护法门。
> 杖钵不随流水去，寒云古渡指迎恩。

诗下自注："寺前劝农桥、迎恩渡俱宋高宗遗迹。"

细玩劳诗旨趣，颇耐人寻味。宋高宗赵构曾经驾幸福严寺？劝农桥、迎恩渡俱是宋高宗遗迹？既然当年赵构九次"视察"崇德，夜宿官船，且"现场办公"，撤换不称职的崇德知县，又设行幄殿于石门湾，而福严古寺早已声名远播，那么在巡幸途中慕名探访，亦在情理之中。劝农桥，多见于文献记载；迎恩渡，《福严寺志》亦多次提及。

《福严寺志》已梓行数载，嘉言美辞，时有所闻。然有关福严寺的诗文轶事亦常有新发现，日后增补，实属必然。

劝农桥与迎恩渡既是宋高宗时遗迹，且又都在"寺前"，自然是

福严寺前劝农桥，相传为宋高宗遗迹 / 徐建荣摄

一个值得重视的信息。人们大多熟悉前者，却忽略了后者！迎恩渡的具体位置，或许尚需踏勘。但劳诗既有此载，谅非虚妄。千载以下，遗迹湮没，不知凡几！劳之辨的诗章，无疑为古寺的宋韵文化增添了厚重一页！

【链接】

福严禅寺所在，今属凤鸣街道合星村。这是一个有着千年历史的古村落，旧属千乘乡。两宋间，有蔡氏迁居村中，并有"怡堂"之筑。明《（万历）崇德县志》载："在千乘乡，阅、开、辟、阖昆弟同居，故名。"蔡氏昆弟的十世祖，即宋端明殿学士蔡襄。蔡开于淳熙八年（1181）登进士第，曾通判隆兴府、平江府。后知鄂州，并摄宪、仓二司，寻改漕江西。蔡辟在庆元五年（1199）登进士第，官国子祭酒。南蔡桥的北塊，有清白池，相传亦为蔡开、蔡辟所浚。

支脉绵络话桐溪

桐乡境内，一马平川，河道密布，是典型的江南水乡风貌。几乎所有水系，均与运河相通。桐溪原是水名，即梧桐泾，亦经康泾塘最终流入运河。它蜿蜒流淌于今桐乡城区之东，直抵濮川，流程约二十里。夹岸深林茂竹，环境清幽。宋宁宗时，秀州张尧同赋《嘉禾百咏》，其中就有《梧桐泾》诗：

> 落落梧桐树，何年作凤鸣。试看千古翠，流尽一溪声。

昔时，江南水乡的市镇，大都有一个与水相关的雅称。桐乡境内，崇德雅作语溪；乌镇雅作双溪，又作车溪；石门雅作玉溪；洲泉雅作湘溪；大麻雅作麻溪；炉头雅作柞溪；濮院雅作濮川，又作梅泾；屠甸雅作石泾。旧志中曾列"桐溪八景"，第一景即为梧桐泾，名曰"桐溪罄折"。

宋元以降，或人以"桐溪"为号，或书冠"桐溪"之名，甚或以"桐溪"命名书院、佛寺，一曲又一曲的"桐溪"赞歌，传遍了四乡八里，传诵了百年千载。

桐溪悠悠水长流 / 史庭钊摄

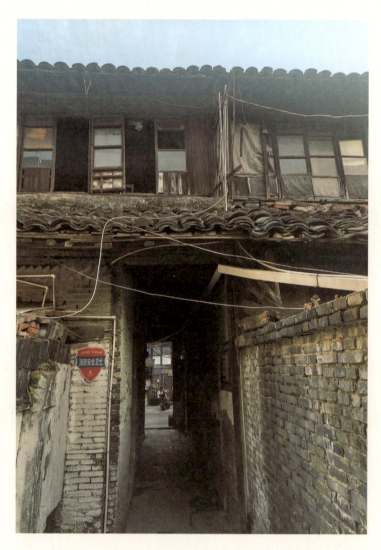

桐乡北街徐宅，相传此处系宋代徐纲的故居 / 俞尚曦摄

桐溪居士徐纲

北宋时，徐氏先祖徐安上从衢州迁居梧桐乡凤鸣里（今桐乡市区）。其曾孙徐潘及其堂弟徐纲，分别考中绍兴二十四年（1154）和乾道八年（1172）进士。徐潘之子徐逢、徐远又分别是淳熙十四年（1187）和嘉泰二年（1202）进士；徐纲的两个儿子徐龟年、徐逢年亦分别为淳熙十四年（1187）和开禧元年（1205）进士。徐氏一门，兄弟父子六人，五十年间，皆金榜题名，进士及第；文风之盛，远近瞩目。

徐纲，字晞颜，自号桐溪居士。他身处战乱纷繁的两宋之际，是力主抗金的主战派，且终其一生，未改初心。在太学时，朝廷一心要与金人议和，徐纲仿效北宋末年太学生陈东之义举，率诸生疏上六事，提出"决策亲征"及"诛误国奸臣"等主张。徐纲心存诚敬，志操高洁，自奉俭约，雅好泉石，常以吟咏自娱。归隐后为地方上做了不少善事，颇得百姓敬重。后桐乡设县，入祀乡贤祠者，宋代唯徐纲一人。

徐纲著有《桐溪居士诗集》，已散佚，今人难窥其全貌。宋光宗绍熙三年（1192），徐纲任江阴知县。《江阴县志》收录了他的《白龙寺祈雨》诗：

> 万木梢头见塔尖，道人于此卜幽潜。
> 深林六月风敲竹，古寺三更月入龛。
> 天旱蛟龙藏窟宅，水枯鱼鳖露须髯。
> 我来赤日祈甘雨，卧听萧萧泻屋檐。

《光绪桐乡县志》载："淮东议幕徐纲宅，在县市后街。一族蕃衍，分处同里，今儒学基其一也。"当地耆老告诉笔者，清末之"县市后街"，即现今北街，徐宅在原桐乡印刷厂对面，五开间楼房，徐氏一族当年聚居于此。

徐纲长子徐龟年踏入仕途后，清廉自守，刚正不阿，一如乃父。宋宁宗嘉定十二年（1219）任监察御史时，上书皇帝，针砭时弊，认为"士大夫之邪正，关风俗之美恶"，欲求社会风气之澄清，必先整饬吏治。

沈涛《幽湖百咏》云："龟年第宅水云中，双节坟边落照红。铜笛一声凉月上，满篷松露过齐虹。"徐龟年致仕后，觅址濮院西郊徐家浜（一称"齐家浜"）建造别业。去世后，墓地也择于此处。

徐氏后人，历代县志有载。

至明朝，徐纲后裔徐进承继先祖遗风，读书文思院中，学问博洽。此处众水汇合，形如半璧，环境清幽。宣德五年（1430）置桐乡县，地方官员即以东水门内文思院遗址创建县学。

又清康熙五十六年（1717）纂成的《前朱里纪略》有"赵家院吴氏"之载。说"宋淮东议幕徐纲之后，世居桐乡北街。元末明初间有徐十三官以富室获罪，籍没远徙……子孙变姓名隐于赵家院外戚，因改姓吴氏。至成化间，有吴耕钓者曾为某官，生四子，为四支，今赵家院南北散居者是。国朝尚多在庠者，与董家桥等处吴姓同姓不宗"。此说与县志所载颇不合，是耶非耶，尚待其他资料佐证。

《桐溪诗述》

清嘉庆间，仁和（今浙江杭州）宋咸熙任桐乡教谕。课士之暇，裒辑桐乡一邑之遗诗，远溯宋元，近迄清代中后期，从缙绅到闺阁、方外，广收博采，四阅寒暑，辑成《桐溪诗述》二十四卷，凡七百余家。并在每位作者名下，叙列小传，知其人而论其世，后世读者因之大受裨益。

宋咸熙在《自序》中，称这部诗集"由鲍丈渌饮、顾丈箓厓怂恿成之，惜书成而二先生已不及见矣。……采辑者老友施君少峰之力居多"。

此处提到的鲍渌饮、顾箓厓、施少峰，俱是当时桐乡一地的文化名人。鲍渌饮，即鲍廷博，知不足斋藏书楼主人，晚年寓居乌镇杨树浜（今乌镇雅园一带），《四库全书》馆开馆，征集天下遗书，鲍廷博命其子鲍士恭献书六百二十六种，为当时浙省进书之冠，乾隆颁赐《古今图书集成》一部，以及《伊犁得胜图》《金川图》等，以为褒奖。鲍氏父子、祖孙数代，陆续辑刻《知不足斋丛书》三十集。顾箓厓，即顾修，石门县人，后迁居乌镇。工于吟咏，兼擅丹青。嘉兴姚蝶庵先生称，嘉兴张廷济《桂馨堂集》钞本中有十四首均为顾箓厓画作之题跋诗。顾氏曾刊刻《读画斋丛书》行世，饮誉艺林。施少峰，即施嵩，字礼登，号少峰，石门湾（今石门镇）人，诗人兼画家，有《少峰诗钞》《唾余集》。他曾参与纂修清《（嘉庆）石门县志》，平素喜交友，与嘉兴张廷济、杨蟠，屠甸毕纶等过从甚密，与宋咸熙更是莫逆之交。吴文照《在山草堂诗稿》有《同施少峰至桐乡访宋小茗不值归舟游清河庵》诗：

> 书堂寂寂鹤声高，客至闲披满径蒿。
> 看菊已辜秋褉约，问禅且向佛门逃。
> 得携醇士心先醉，不见美人首独搔。
> 拟听春莺重访戴，一厨樱笋酌松醪。

浙江古籍出版社2021年出版的《宋咸熙集》第四册至第六册收录了《桐溪诗述》的全部诗作。

《桐溪纪略》

国家图书馆出版社2021年出版的《嘉兴文献丛书·史部·方志》第八十八册收录《桐溪纪略》八卷。此书为清嘉庆时桐乡程鹏程纂。卷首有时任桐乡县知县合肥李廷辉和邑人、翰林院编修冯浩的两篇序。程鹏程，字南谷，诸生，还著有《敝帚吟》《桐溪遗诗》等。《桐溪诗述》卷十六、清《光绪桐乡县志·人物传》中都有他的资料。

《桐溪纪略》虽未以"志"命名，却具志书之实。无论篇目结构，还是文字内容，均具备了方志的基本特征和要素。桐乡一县之历史沿革、文物古迹、风俗物产、诗文著述、人物传记等，无不赅备。故李《序》称其"周见洽闻，纲举目张；搜罗钞撮，不敢稍有结漏。……足以备邑乘之取资"。

《桐溪纪略》之前的一部《桐乡县志》，问世于康熙二十七年（1688）。《桐溪纪略》则成于清嘉庆二年（1797），其时桐乡一邑已经一百多年无新修志书。故而《纪略》的编纂属承前启后，意义非同寻常。两年后，《（嘉庆）桐乡县志》付梓。该志之纂，就是以《纪略》为基础，其中不少内容甚至直接源自《纪略》。

清人吴锦江评价称："邑志自康熙时期年修后，百余年来，事多湮没。南谷搜罗旧闻，纲举目张，作《桐溪纪略》八卷。李明府立山因之以成《县志》，是能为有用之学者。闻其所著，尚有《桐溪遗诗》十卷，惜已散失，无从访得。"

《桐溪达叟自编年谱》

清《光绪桐乡县志》的纂修者严辰，自号桐溪达叟。邑志付梓翌年，即光绪十四年（1888），严辰于病榻之上犹笔耕不辍，手订《桐溪达叟自编年谱》。一生行略，只缺最后五年。来新夏先生《中国近三百年人物年谱知见录》中著录此谱。谱中记严辰生平事迹甚详，诸多章节皆可作史料来读。用谱主在《自序》中的话来说："其中述祖德，记亲恩，并及分所当为，则可作家训看；山川所历，略述胜概，则可作游记看；事实有关令甲者，间亦记其所知，则可作典故看；琐事小言，纵笔及之，以供谈助，则并可作小说看也。"

纵观年谱所记诸条，其中一个重要内容，就是当时国家积弱、强敌侵扰的情形，真实反映了当时各种矛盾集中爆发、外敌环伺、清政府内外交困的社会现状。如在道光二十二年（1842）条中，谱主多次提到"连年江浙海疆皆有夷警"，"县府试后，适夷犯乍浦，学使迟至冬间始按临嘉郡"。咸丰十年（1860）条中记英法联军进攻北京的情形，更具有重要的史料价值："是年夷氛大炽，英、法、美、俄四国之兵由津门直犯京都。八月初四日，偶至淀园谒沈文忠师，知圣驾有出狩之信。而外庭尚无知者……初八日，圣驾遽幸热河……都中人心惶惶，京官多迁避出城者。余亦于初十日仓卒携家出城，共坐三车，不知所往。"出城以后，严辰一家暂住澄怀园。作者笔下，有数节文字写到昆明湖、圆明园在第二次鸦片战争前后的不同景象："金碧楼台与山色湖光相掩映，真不啻蓬莱仙境，乃不转瞬而付之一炬。澄怀园外有近光楼，可眺三山……尤妙在红桥绿水，曲折回环，处处皆通荷沼，即卧榻临窗，庖厨启户，皆与芙蕖相对。"后来，"忽闻夷兵有不犯都城，先劫圆明园之说，乃于十三日移家至昌平州，距园仅四十里。余在城中赁一小屋，聊以栖身。九月初五日，登城楼望见圆明园及三山火起，烟焰弥天，不禁泪下"。英法联军焚毁圆明园，谱主当年亲见亲历。此段文字，如实记载了中国近代史上这惨痛一幕，读之不禁令人扼腕！

《桐溪诗草》

《桐溪诗草》为沈鹏所著。沈鹏，字振飞，清代桐乡人。后徙居杭州，为钱塘诸生。虽然落户他乡，但其故乡情结始终未泯，因而自号"桐溪"。他的诗集，亦名《桐溪诗草》。

沈鹏为人慷慨，尚意气，一生耽于吟咏。幼时即与某氏订婚，但女孩身体羸弱，未婚先卒。病重时，女孩家长将沈鹏唤来。病榻之侧，沈鹏情辞惨切，与未婚妻诀别，并发誓余生不再娶。此后数十年，他信守诺言，鳏居一室，以授徒为生，直至终老。临殁，他将亲手誊录的诗作四卷交付其友胡莳唐，又取出羊裘一袭作为刻印诗稿的经费。可惜《桐溪诗草》早已散佚，后人不得一见。

历代以来，吟咏桐溪者不乏其人。

明代濮院人杨述有《桐溪一曲图》诗传诵颇广：

桐溪一曲抱村流，乔木人家溪上头。
故老剩传诗纪在，昔年曾见凤凰游。

清乾隆间，桐乡知县舒瞻有《桐溪杂咏》十首，第一首就直接摹写桐溪胜景：

浙西名胜属桐溪，百里柔桑一剪齐。
最是养蚕时候好，绿杨多处鹧鸪啼。

此外，清代汪森有《桐溪新咏》诗集，孙贯中有《桐溪草堂诗钞》。俞南史之《桐溪赠别》二首，汪文柏之《桐溪二首》，程宗堃之《桐溪百咏》，郑为章之《桐溪棹歌》，亦无不以"桐溪"冠诸篇名。

桐溪书院

桐溪书院位于桐乡县城东水门内（今梧桐小学北港校区）。清同治三年（1864），太平天国运动结束后，有陈姓被控曾任职于太平天国军，罚捐洋1500元。城中绅董禀请知县王联元拨给此款，以千元购置于姓大屋一所作为书院。陈姓又缴田地42亩，抵捐500元，充作院产。首任山长严辰于同治六年（1867）到院，前后主讲十年。继任者为炉头镇沈善登（字毂成）。严辰《桐溪书院诗八绝》之八云：

> 选贤乐至岂无端，十载皋比愧素餐。
> 便割华山分半席，希夷自觉睡乡宽。

诗下有注"余主桐溪讲席十年，让与沈毂成太史，知其学问经济足为师表也"，谈及书院主讲交接之事。

院屋原有四进。第一进大门，第二进讲堂，皆为三间。第三进有楼房七间，庭院宽敞，东西有屋六楹。第四进原有楼屋五楹，后因朽蠹拆除。同治十年（1871），建三贤堂，供奉张杨园、冯景夏、俞长城栗主。严辰为讲堂题写楹联：

> 创兴讲舍，俎豆三贤，闾里有先型，愿与诸生同效法；
> 僻在乡隅，弦歌四境，胶庠多后起，总由长吏善陶成。

又题三贤堂联云：

> 立德立功立言，小邑竟传三不朽；
> 曰庠曰校曰序，瓣香愿祝万斯年。

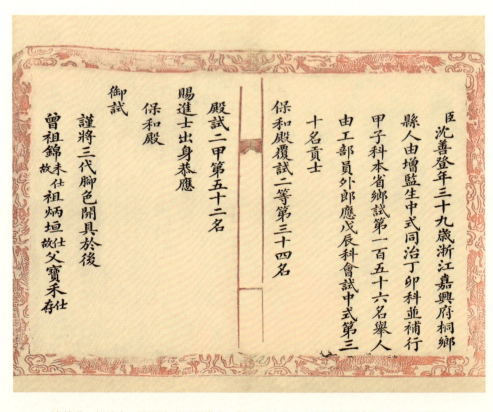

臣沈善登年三十九歲浙江嘉興府桐鄉

縣人由增監生中式同治丁卯科並補行

甲子科本省鄉試第一百五十六名舉人

由工部員外郎應戊辰科會試中式第二

十名貢士

保和殿覆試二等第三十四名

殿試二甲第五十二名

御試

保和殿

賜進士出身恭應

謹將三代腳色開具於後

曾祖錦未仕　祖炳垣故　父寶禾存仕

沈善登，炉头人，清同治戊辰科进士，继严辰之后，任桐溪书院山长 / 沈建谷供图

光绪二十九年（1903），废科举，兴学堂，桐溪书院改办为桐乡县立高等小学堂。

桐溪第一山

桐乡城内，旧时有凤鸣寺，乃后周广顺二年（952）建，不久即改名惠云寺。明宣德五年（1430）桐乡析县以后，当年就在寺内设有僧会司衙门，凤鸣寺因此号称"桐溪第一山"，俨然成为桐乡一邑之佛界领袖。明崇祯年间，新修大士殿，并集合境内能文者，课文结社，唱和不绝，得名"凤鸣社"，名扬嘉禾大地。清康熙四十六年（1707），建华严藏经阁，汪文柏有记。

僧序贤曾撰《凤鸣寺志》，可惜在元末毁于兵火。《中国地方志集成·寺观志专辑》中载有《惠云寺详考》，凡四卷，清康熙间僧悟拈纂辑。其中一卷已轶，仅剩三卷。虽为残篇，却是迄今存世的关于惠云寺（凤鸣寺）的珍贵史料。《详考》中列有古寺八景，"桐溪夕照"赫然在焉。

"桐溪"悠悠水长流。历代以来，以"桐溪"冠名、命名的人、事、物不胜枚举！"桐溪"之得名，固然由地名始，但它又不仅是地名。今日人们言及"桐溪"，更赋予其浓郁的运河流域乡土文化气息，使它成为一个包含多重意义的文化符号。2014年由众多桐乡人集体创作的《桐溪书声》的结集出版，2021年桐溪文化讲堂的开设，无一不是鲜明的例证。

翠蛾环坐忆洲钱

　　北宋末年，金兵南下，建都汴梁（今开封）的北宋王朝顷刻间灰飞烟灭。康王赵构在一众大臣的拥护下仓皇南渡，四处漂泊，甚至逃至海上，最终来到临安（今杭州）。从此，偏安东南的南宋王朝又延续了一百五十多年。

　　战乱频仍的年代，百姓遭难，流离失所。数以千万计的中原百姓，包括众多的士大夫，纷纷举家南迁，形成了历史上一次大规模的移民潮。北宋末至南宋初，移民达到九百多万人。

　　自然条件优越、经济发达的太湖流域成为南迁士民的首选。中原地区的士民从运河南下，云集两浙苏南一带，使得这一地区的居民人数"百倍常时"。这里"又是南方经济文化最发达地区，移民中的精英分子大多聚集于此。这对优化吴越地区的人文环境，夯实深厚的文化底蕴，甚为有利"（董楚平《广义吴越文化通论》）。

　　民国时期，乡贤吕在廷在《语溪诗系》中说，两宋之间，此地人口激增，文化气息充沛于运河两岸，并且深刻地影响了后世的景象："直至宋之南渡，地为畿辅，人文荟萃，贤士大夫之生于斯，宦于斯，客于斯，往来于斯，饶有渊源，流风余韵，犹有存者。"

　　大批中原地区的世族名人陆续定居在桐乡沿河的各个市镇，加

洲钱（今洲泉镇）古镇，枕水人家，鳞次栉比。临河屋舍，皆向水面延伸，此即谓水阁——江南水乡的独特景观。两宋间，中原二十余家士大夫从运河南下，寓居于此 / 汤闻飞摄

洲泉生贤里，赵不求、赵善应父子南渡后寓居之地。宋高宗绍兴十年（1140），赵汝愚诞生于此／张根荣摄

上与之交游的诗人词家，桐乡境内短时间就聚集了众多高层次的文化人。他们创办书院，重修寺观，造园修第，吟诗论文，使此地文化氛围骤然浓厚，文化品位迅速提升。同时，随着居民人口的逐年增加，民俗文化亦日益丰富。此地民居大都沿河而建，小巷小街迂回曲折，小桥流水，青石板路，长廊水阁，皆展现出浓郁的江南水乡风貌。

洲泉蕞尔小镇，以往被写作"洲钱"，位于崇德"县西北二十七里。其地周遭皆水，形如钱布，故名"。其地虽僻处一隅，却有菱长港、羔羊港等水道与海宁长安、崇德、石门、德清新市、吴兴菱湖等地沟通；与临安（今杭州）之间的距离亦不过百里，走水路可朝发夕至。两宋之间，有二十余家中原士大夫从遥远的北方，千里流徙，最后寓居在这个不知名的江南小镇上，其中就包括宋太宗赵光义长子赵德崇的六世孙赵不求和他的儿子赵善应一家。沈季友《槜李诗系》卷二即有"（赵善应）建炎间与其父自汴避地崇德之洲钱，因家焉。生汝愚"的记载。

赵善应，字彦远，南宋建炎（1127—1130）初，入仕为承信郎，历官修武郎、监秀州崇德酒税、江西兵马都监等职。

当时，崇德县在石门镇和洲钱两地设置榷酒务。赵不求一家迁居洲钱，是否因为赵善应监秀州崇德酒税，榷酒务就设在洲钱的缘故？这仅是从事理上推测，实际情形如何，尚待史料的挖掘和佐证。

赵善应是一个"长则尊之，幼则庇之"的孝子。父母病了，便依药方，刺血和药为双亲医治。其母怕打雷，赵善应每闻雷响，无论早晚，都会赶至母亲榻前探视。某年冬夜，寒风彻骨，赵善应深夜远归，随从准备敲门，赵善应怕惊醒母亲，立即制止，虽然冻得瑟瑟发抖，但仍在门外挨了一夜。母亲亡故后，赵善应日夜守在灵柩边，哀毁销骨。其母生于卯年，善应终生不食兔肉；父亲死于肺病，他便不再食用动物肺脏。

论出身，赵善应也算天潢贵胄，但到他那个时候，家境已贫寒。但不管境况如何窘迫，他依然持家有方，不但孝顺双亲，而且对弟弟妹妹也十分呵护。弟弟妹妹未添新衣，他从不先行添置；弟弟妹妹已添置而未上身，他也不会先穿。"长兄如父"这个词在赵善应身上体现得淋漓尽致。

"穷不失义，达不离道"，始终是赵善应的人生信条。朋友去世，遗下一女，孤苦无依，赵善应将她聘为儿媳。一位同僚病逝于任上，家贫如洗，无钱安葬，其子又在外地做雇工。善应专程赶去外地，历尽曲折找到同僚之子，又馈赠银两，助其安葬亡父。

这位"善人"始终怀抱一颗博爱之心，尤其同情弱者。每见贫乏者病卧路边，总会让至家中，亲自为其熬药治病。遇荒年，则全家饮食减半，接济灾民。

赵善应一直用传统美德规范着自身的一言一行。当时，著名文人、被誉为"中兴四大诗人"之一的尤袤由衷地评价他为"古君子也"。赵善应去世后，时任宰相陈俊卿亲自为他题写墓碑："宋笃行赵公彦远之墓"。

丞相周必大亦曾撰文褒扬赵善应的美德："有《关雎》之应，然后公子有信厚之风；有《行苇》之仁，然后人有士君子之行。周则然矣，本朝奚愧焉。观子直著作，叙其先人之遗事，宁不概见。盖古者，子孙论撰先世之美，明著之后世，虽本于崇孝，而终实重其国家，溯流求源，固非一日积也。采诗者出，尚有考于斯文。"（《跋赵善应行实》）

赵善应的言传身教，使其子汝愚继承了他的品格。《宋史·赵汝愚传》说："汝愚聚族而居，门内三千指，所得廪给悉分与之，菜羹疏食，恩意均洽，人无间言。自奉养甚薄，为夕郎时，大冬衣布裘，至为相亦然。"

与赵善应一样，从北方迁居洲钱的士大夫，不少人都是精英。远离故土、漂泊异乡的共同经历，让他们聚到一起，并将目光齐展展地投向近在咫尺的祇园寺。

祇园寺是一座建于梁天监年间的古刹，初名大善寺，宋大中祥符元年（1008）始称祇园寺。南宋宁宗开禧三年（1207），韩侂胄被诛，遭其陷害的赵汝愚得以平反，寺西南隅建有赵忠定公祠。寺内，金刚殿两侧所塑之四大金刚像尤为有名，高三丈有余，威武猛壮，其雕塑艺术堪称江南古刹之精品。"南朝四百八十寺，多少楼台烟雨中。"或许，祇园寺就是其中之一吧！禅院幽静，梵音钟磬，文化精英们在这里找到了一处极乐地。

他们在寺院里聚会，赋诗填词，互相唱和，倡导风雅，成为崇德境内第一个文人诗社。"庆公诗翰尤妙，与苏师德、吕正己等六七人迭主诗盟，即祇园精舍为簪盍之所。"（《（万历）崇德县志·纪疆》）其流风余韵，影响甚广，开当地崇文风气之先，给闭塞的江南古镇带来了先进的中原文化。一地风气，为之丕变。

北方游牧民族铁骑南下，逼着他们千里漂泊，四海为家。人虽流落至江南，但他们的内心却始终系念着旧时家园。赵善应《题宁师西阁》诗，道不尽中原移民共通的家国情怀：

> 漂泊南来几岁寒，追谈往事漫心酸。
> 云烟暮隔中原望，归折梅花忍泪看。

《（万历）崇德县志·纪文》收载了赵善应一首七律《闻虏归我河南地喜而有作》：

半埋土中的祇园寺古桥 / 张根荣摄

几年流落在天涯，忽报邮音豁两眉。

神武赫临无血刃，腥臊涤尽抚创痍。

遗黎每恨平燕策，今日还欣见汉仪。

更展白沟归旧界，皇家重建太平基。

填满作者心中的，是何时使沦丧的国土重见天日的执着之念，故而一听到河南有地从金人的铁蹄下归于南宋的消息，便喜出望外，情不自禁赋诗志庆了。

旧志说，赵不求一家居住洲钱"逾一纪"。赵不求曾监江西余干县酒税，赵氏后人，史称世居余干，赵不求、赵善应等数代以下的墓葬也俱在余干。若谓今洲泉（洲钱）一带尚有赵氏后人居住，却是文献无征，了无凭据，岂得妄断！

苏师德、吕正己翁婿二人，在洲钱短暂居住之后，先后入朝为官。苏师德乃宋哲宗时名相苏颂之孙，做过枢密院计议官、平江府通判等。因触怒秦桧，被削籍，于汀州（在今福建长汀）编管，有六年之久。后转徙徽州。直到宋孝宗新政之后，才与儿子苏玭"始得生还，仍复旧官"，但此时他已是耄耋之年了。苏师德于淳熙四年（1177）去世，享年八十。

吕正己于乾道五年（1169）任两浙路转运判官，除直秘阁。六年为贺金国正旦使。七年代晁公武知扬州。淳熙二年（1175）为两浙转运副使。在此任上，他与同僚吕擂互相攻讦，被宋孝宗双双罢官。淳熙四年，又被起用，知镇江府，以狱囚逃逸，降一级。五年，为浙西提刑，终以闺门丑闻被罢官。

张端义《贵耳集》记有一则关于吕正己的逸闻：

仅剩的祗园寺寺产——十间头 / 张根荣摄

吕婆即吕正己之妻，淳熙间，姓名亦达天听。……旧京畿有二漕，一吕摭，一吕正己。摭家诸姬甚盛，必约正己通宵饮。吕婆一日大怒，逾墙相詈。摭之子一弹碎其冠。事彻孝皇，两漕即日罢。今止除一漕，自此始。吕婆有女事辛幼安，因以微事触其怒，竟逐之。今稼轩"桃叶渡"词因此而作。

　　这段文字将吕正己与吕摭二人如何攻讦说得甚是详尽，看来正己之妻实乃一悍妇，又好嫉妒。有妻如此，丈夫没有不遭殃的。其女"事辛幼安"，显然不是正妻了。后来因为一桩小事，竟被辛弃疾赶出家门。事后稼轩又写《祝英台近》（"桃叶渡"词），柔肠百转。沈谦《填词杂说》谓："稼轩词以激扬奋厉为工，至'宝钗分，桃叶渡'一曲，昵狎温柔，魂销意尽，才人伎俩，真不可测。"也有学者持不同意见："宋人张端义《贵耳集》说这首词是辛弃疾为去姜吕氏而作，不足凭信。"

　　沈长卿（？—1160），字文伯，号审斋居士，湖州归安（今浙江湖州）人。建炎二年（1128）进士及第，累官临安府观察推官、婺州州学教授。绍兴五年（1135），除秘书省正字。十八年（1148）通判常州。据《宋史》记载，绍兴二十五年（1155）二月，因沈长卿曾与李光启一起讥讽和议，又与芮烨共赋《牡丹诗》，诗中有"宁令汉社稷，变作莽乾坤"之句，与当权的主和派相抵牾，为邻人告发，长卿被编管化州，芮烨则被编管武冈军。虽然沈长卿此后又被起用，官至左朝奉郎、主管台州崇道观，但毕竟成了边缘人物。绍兴三十年（1160），叶义问出使金国，朝廷任命沈长卿为书状官。然而，北去途中，长卿突然病倒，遂打道回府，因路途颠簸，病情加重，最终在半路去世于保州（今保定）。其平生所著，有《西汉总类》二十六卷、《春秋比事》二十卷等。

靖康初，沈长卿为太学生，曾满怀激愤，撰成《上钦宗书》，痛斥敌虏暴行，声讨投降派李邦彦，声援太学生领袖陈东等人，"今日戎虏拥兵，困辱中国，夺我玉帛，侵我土地……"又以秦始皇焚书坑儒史事影射当朝，痛陈朝政之隳坏："……群聚而坑之四百六十余人。是时忠臣义士避坑戮之祸，遁逃窜伏，甘心于陇亩之间，不敢以儒自名。其谋实出于斯、高，始皇信之而不悟也"。

文之末尾，尤见慷慨激昂，视死如归，一个以天下为己任、"我以我血荐轩辕"的热血青年形象跃然纸上："仆生平所志在为忠与孝。而忠孝不能两立，苟全一节，虽死无憾。……是以不避斧钺，直书其事，上干天听。虽蒙诛戮，万死无悔。"

沈长卿当年也在洲钱待过。祇园诗社诸君结社赋诗时，沈长卿应该也是其中的活跃分子。

年华悄然逝去，斯人垂垂老矣。晚年的沈长卿曾在一首诗中吟出"翠蛾环坐忆洲钱"，追忆当年群贤毕至、才人荟萃的盛况，以及洲钱这一偏僻的江南小镇波澜不惊、众人偷安一时的闲散生活，沧桑之感油然而生。只可惜沈长卿的这首诗早已亡佚，未得一窥全豹，颇惹后人无限遐想……

1. 《宋史》，〔元〕脱脱等撰，中华书局1985年版。

2. 《明史》，〔清〕张廷玉等撰，中华书局1974年版。

3. 《清史稿》，赵尔巽等撰，中华书局1997年版。

4. 《（咸淳）临安志》，〔宋〕潜说友撰，浙江古籍出版社2012年版。

5. 《（至元）嘉禾志》，〔元〕徐硕纂，嘉兴市地方志办编校，上海古籍出版社2010年版。

6. 《（万历）崇德县志》，上海图书馆藏本。

7. 《（正德）桐乡县志》，上海图书馆藏本。

8. 《（乾隆）乌青镇志》，〔清〕董世宁撰，上海图书馆藏本。

9. 《（乾隆）濮院琐志》，〔清〕杨树本撰，《中国地方志集成·乡镇志专辑》（21），上海书店1992年版。

10. 《（嘉庆）石门县志》，上海图书馆藏本。

11. 《光绪桐乡县志》，〔清〕严辰纂修，徐树民、俞尚曦、郁震宏点校，中华书局2013年版。

12. 《（光绪）石门县志》，〔清〕余丽元主修，徐树民、俞尚曦点校，中华书局2016年版。

13. 《（民国）濮院志》，夏辛铭修，徐树民、俞尚曦点校，中华书局2018年版。

14. 《（民国）乌青镇志》，卢学溥修，徐树民、俞尚曦点校，方志出版社2021年版。

15. 《石门镇志》，徐才勋主编，方志出版社2002年版。

16. 《崇福镇志》，俞尚曦主编，中华书局2013年版。

17. 《福严寺志》，俞尚曦主编，中华书局2017年版。

18. 《浙江通志·运河专志》，陈永明、周红卫主编，浙江人民出版社2021年版。

19. 《越绝书校释》，李步嘉校释，中华书局2013年版。

20. 《宋代日记丛编》，顾宏义、李文整理，上海书店出版社2013年版。

21. 《建炎以来朝野杂记》，〔宋〕李心传撰，中华书局2000年版。

22. 《癸辛杂识》，〔宋〕周密著，中华书局1988年版。

23. 《四朝闻见录》，〔宋〕叶绍翁著，中华书局1989年版。

24. 《勉斋黄文肃公文集》，〔宋〕黄榦著，载"北京图书馆古籍珍本丛刊"（90），书目文献出版社1989年版。

25. 《悬榻集》，〔明〕陈履著，广东教育出版社2005年版。

26. 《宋诗钞》，〔清〕吴之振、吕留良、吴自牧编，中华书局1984年版。

27. 《静观堂诗集》，〔清〕劳之辨著，《清代诗文集汇编》（153），上海古籍出版社2010年版。

28. 《浙西水利备考》，〔清〕王凤生撰，《中国方志丛书》，台湾成文出版社1983年版。

29. 《冷庐杂识》，〔清〕陆以湉著，中华书局1984年版。

30. 《公车日记》，〔清〕毕槐著，载张振刚编著《三贤日记四种》，上海文艺出版社2022年版。

31. 《来鹭草堂随笔》，〔清〕吴滔著，稿本。

32. 《中国运河史料选辑》，朱偰编，江苏人民出版社2017年版。

33. 《明清江南史丛稿》，王家范著，生活·读书·新知三联书店2018年版。

34．《史书地志》，胡阿祥、胡晓明、朱智武著，南京大学出版社2009年版。

35．《江南市镇研究》，（日）森正夫著，江苏人民出版社2018年版。

36．《宋代酒的生产和征榷》，李华瑞著，河北大学出版社1995年版。

37．《王凤生年谱》，潘旭辉、王鸿平著，江西高教出版社2018年版。

38．《大运河传》，夏坚勇著，江苏文艺出版社2014年版。

39．《活在大运河》，姜师立著，中国地图出版社2021年版。

40．《大运河文化》，张翠英著，首都经济贸易大学出版社2019年版。

后记

　　江南运河在桐乡境内长长地拉出了一条斜线。千百年来，桐乡人无不亲切地将它唤作"母亲河"。

　　运河于我，情分尤深。十七岁那年插队务农，在农村"战天斗地"十载有余。身居水乡，三天两头上船落舱。水上日子，船上生活，习以为常，有时甚至连轴转，船即是家，家即是船。逐浪而行，枕水而眠，无分日夜，都与运河相伴。在我内心深处，运河情结，烙印终生！

　　回城以后，机缘巧合，干起了捏笔头的营生。知青插队时行舟大运河的情景，在我的脑海里不时泛起，于是，在《三千里路船和橹》一书里，我将对运河的思念与牵挂之情倾注其中：

　　　月明星稀，在深邃的苍穹底下，行船却也不无情趣。宽阔的河面上，除了长长的拖驳以及逆向过来的农船，再无别的干扰；四周静悄悄的，除了自家船上的橹声，船侧的水声……了无别的声响。月光底下，万物都显得朦朦胧胧，或远或近地踞伏着；唯有这橹，在不停地划动，快速地将船驱赶着前行，沿河的村庄，一个接一个地被甩在身后。夜风习习，吹到身上格外惬意。虽然到了后半夜，却没有丝毫困意，反倒神清气爽。

……

冬天日短，在船上装好水草，西天已是斜阳一抹。不一会儿，暮烟四合，天说黑就黑了。入冬以后，天气渐渐变冷。到了下半夜，一阵紧一阵的北风吹来，即便将随身带着的所有厚衣服都穿在身上，也仍然难于抵御这砭骨的寒气。摇船一整夜，东方渐渐发白之际，才远远地望见了双桥那灰蒙蒙驼着腰背的影子。船过桥下，借着初露的晨曦，环视头顶和两边，只见那巨石侧立，似乎有些张牙舞爪，在用力地向你扑将过来，着实有点森然可怕的样子。

2022年5月，又一项新的任务突然压到我们五人团队头上——撰写《桐乡大运河文丛》。《文丛》之作，当然不是个人经历的回顾，也截然不同于一己感受之抒发。全方位开掘运河文化题材，如实记述运河文化的深刻内涵，多层面展现运河文化的神韵丰采，无疑应当成为《文丛》的主旨所在。

本人负责撰写的《长河春秋——桐乡大运河史话》一册，涉及面广，题材多样，因此在立意命题上颇费思量。而且看菜吃饭，如何搜集足够丰富的资料，又是一个迫在眉睫的关键问题。"上穷碧落下黄泉，动手动脚找东西。"其间遇到的种种困难，唯寸心自知。此后约有大半年的时光，我埋首案卷，寻绎摘抄，积累资料。尔后键盘频击，砚田力耕，遂成文稿十八篇。又多方求证，反复修改，终于定稿。

《桐乡大运河文丛》承蒙中华书局老领导徐俊先生题签；撰稿、编稿过程中，时时得到中华书局张继海、俞国林、许旭虹、吴麒麟等诸位领导、老师的指导和把关；书稿初成，又得崇德乡贤、著名学者、陕西师范大学教授李裕民先生审读，并指出文中若干硬伤，而后又赐序以为鼓励；嘉兴市图书馆地方文献部主任、副研究员郑闯辉先生不惮辛劳，多次帮助查阅、提供馆藏图书资料；市内各位领导、师友也给予不同形式的支持和帮助。凡此种种，尚曦均深为感动，谨一并表示由衷的感谢！

大运河，内涵深邃，蕴藉富赡，是一部读不完的经典，一座掘不尽的宝矿。囿于作者识见之浅陋，知识之贫乏，书中所述远远未能穷尽运河文化之精髓，舛讹更是难免，恳祈四方博雅君子，多有指教！

癸卯深秋，俞尚曦谨识于蓬岛书屋